#홈스쿨링
#혼자공부하기

똑똑한
하루 사회

Chunjae
Makes
Chunjae

▼

똑똑한 하루 사회 5-2

편집개발	조미연, 윤순란, 김민경, 박진영
디자인총괄	김희정
표지디자인	윤순미, 박민정
내지디자인	박희춘, 한유정, 우혜림
본문 사진 제공	뉴스뱅크, 연합뉴스
제작	황성진, 조규영

발행일	2021년 6월 1일 초판 2021년 6월 1일 1쇄
발행인	(주)천재교육
주소	서울시 금천구 가산로9길 54
신고번호	제2001-000018호
고객센터	1577-0902

※ 정답 분실 시에는 천재교육 홈페이지에서 내려받으세요.
※ KC 마크는 이 제품이 공통안전기준에 적합하였음을 의미합니다.
※ 주의
책 모서리에 다칠 수 있으니 주의하시기 바랍니다.
부주의로 인한 사고의 경우 책임지지 않습니다.
8세 미만의 어린이는 부모님의 관리가 필요합니다.

똑 똑 한
하루 사회

5-2

쉬운 용어 학습
교과 용어를 쉽게 설명하여
교과 이해력 향상!

재미있는 비주얼씽킹
만화, 사진으로
흥미로운 탐구 학습!

간편한 스케줄링
하루 6쪽, 주 5일, 4주 학습
한 학기 공부습관 완성!

똑똑한 하루 사회

어떤 책인지 알면 공부가 더 재미있어.

똑똑한 하루 사회 구성과 특징

핵심 용어

- 핵심 용어만 쏙!
- 한자와 예문으로 이해 쏙쏙!
- 그림으로 기억력 UP!

개념 동영상

빠른 정답 보기

- '❶ 개념 만화 → ❷ 개념 익히기 → ❸ 개념 확인하기' 3단계로 하루 학습
- 하루 6쪽, 4주면 한 학기 공부 끝!

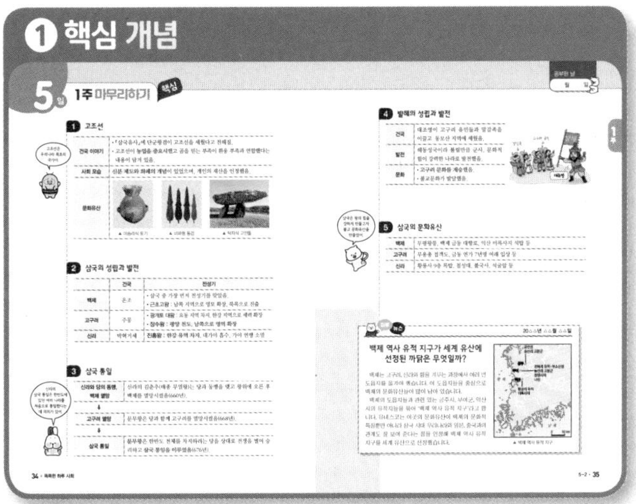

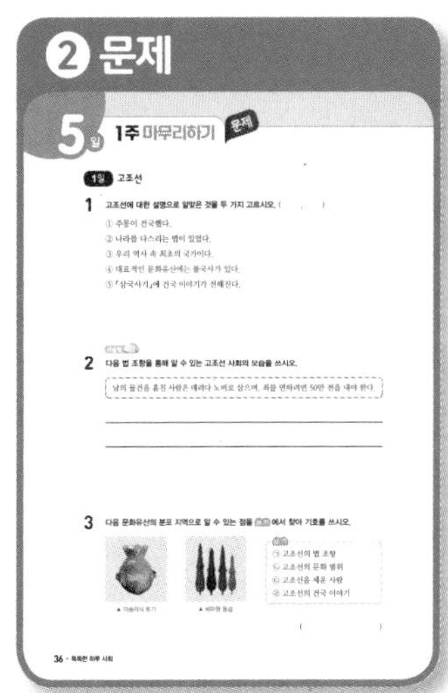

• '① 핵심 개념 → ② 문제' 2단계로 하루 학습

특강

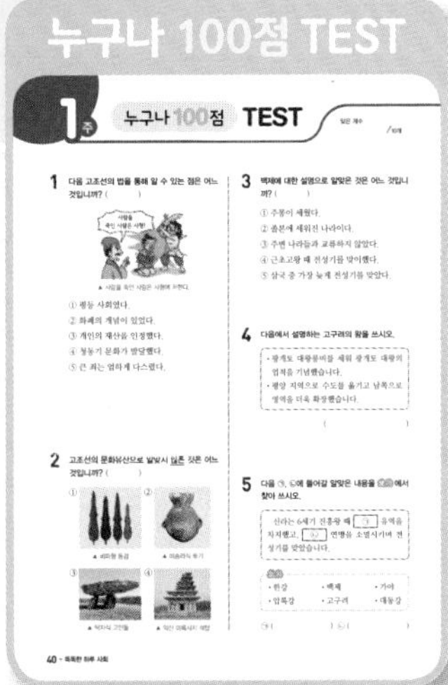

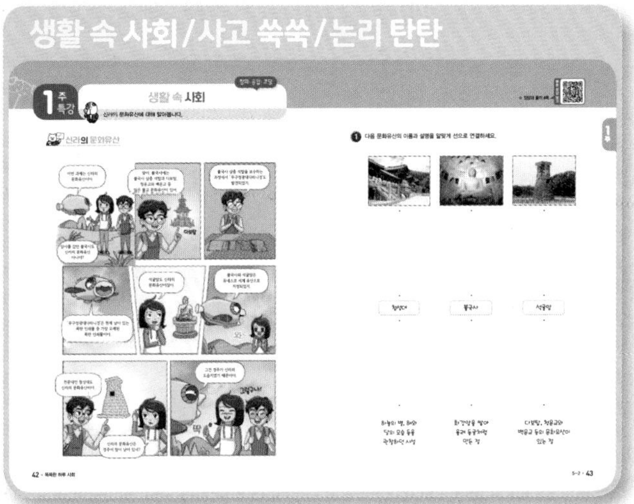

• 한 주에 배운 내용을 확인하는 누구나 100점 맞는 TEST
• 재미있고 새로운 유형의 특강으로 창의력, 사고력, 논리력 UP!

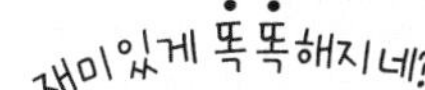

하루하루 조금씩 기초부터 쌓다 보면 어느새 자신감이 생겨.

똑똑한 하루 사회 **차례**

조선 사회의 변동

대한 제국에서 대한민국으로

똑똑한 하루 사회를 함께할 친구들

산들

우리 역사를 좋아하는
정이 많고 씩씩한
5학년 소녀

바람

문화, 역사 지킴이를
꿈꾸는 똑똑한
5학년 소년

앵드론

산들, 바람을 도와주는
앵무새 모양의
드론

도범

보물을 찾아다니는
국제 도굴 협회의
일원

1주 고조선과 삼국

1주에는 무엇을 공부할까? ❶

와~
고인돌은 고조선의 유물이야.

고조선은 우리나라 최초의 국가야.

고조선 이후 고구려, 백제, 신라가 세워져 발전했어.

백제는 근초고왕, 고구려는 광개토 대왕, 장수왕, 신라는 진흥왕 때 전성기를 맞았잖아.

삼국은 문화유산도 많이 남겼어.

석굴암도 그중에 하나야.

그럼 삼국을 통일한 나라는?
신라!
딩동댕!
짝
짝

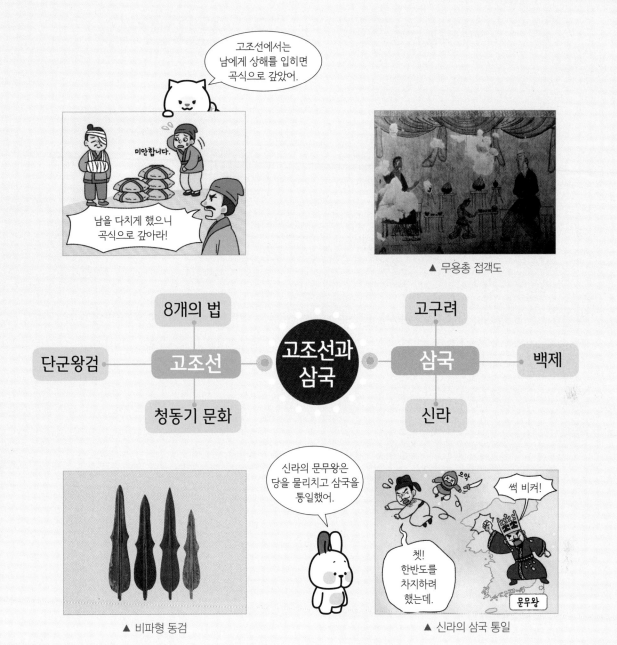

고조선에서는
남에게 상해를 입히면
곡식으로 갚았어.

미안합니다.

남을 다치게 했으니
곡식으로 갚아라!

▲ 무용총 접객도

고조선과 삼국

- 고조선
  - 단군왕검
  - 8개의 법
  - 청동기 문화
- 삼국
  - 고구려
  - 백제
  - 신라

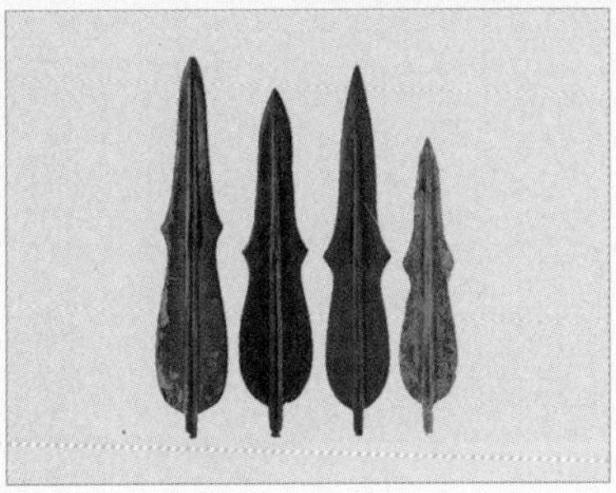

▲ 비파형 동검

신라의 문무왕은
당을 물리치고 삼국을
통일했어.

으악

썩 비켜!

쳇!
한반도를
차지하려
했는데.

문무왕

▲ 신라의 삼국 통일

고조선, 고구려, 백제, 신라,
발해의 성립과 발전 모습을
살펴볼까?

핵심 용어

1주 1주에는 무엇을 공부할까? ❷

고조선

古 朝 鮮

옛 고 아침 조 고울 선

뜻 기원전 2333년에 단군왕검이 세웠다고 전해지는 우리나라 최초의 국가

예 단군왕검은 아사달로 도읍을 옮겨 **고조선**을 건국했다.

고조선은 청동기 문화가 발달했어.

백제

百 濟

일 백 건널 제

뜻 기원전 18년에 고구려의 왕자인 온조가 한강 유역에 세운 나라

예 한강 지역에 세워진 **백제**는 삼국 중 가장 먼저 전성기를 이루었다.

고구려

高 句 麗

높을 고 글귀 구 고울 려

뜻 주몽이 기원전 37년에 압록강 유역을 중심으로 세운 나라

예 **고구려**는 꾸준히 정복 활동을 벌여 5세기에 전성기를 맞았다.

신라

新 羅

새 신 벌일 라

뜻 기원전 57년에 박혁거세가 지금의 경주 지역을 중심으로 세운 나라

예 무열왕의 뒤를 이은 문무왕 때 **신라**가 삼국 통일을 이루었다.

우리 역사 속에는 여러 나라들이 등장해 주변의 나라들과 교류하고 경쟁하면서 고유한 문화를 만들어 나갔어. 고조선, 신라, 고구려, 백제 등의 나라 이름은 꼭 기억해.

발해

뜻 **698년에 대조영이 고구려 유민들과 말갈족을 모아 세운 나라**

예 **발해**는 고구려의 옛 땅을 대부분 되찾았다.

접객도

接 客 圖

이을 접 손 객 그림 도

뜻 **손님을 맞아서 시중드는 모습을 그린 벽화**

예 무용총 **접객도**를 보고 고구려 사람들의 생활 모습을 짐작할 수 있다.

불국사는 유네스코 세계 유산이야.

불국사

佛 國 寺

부처 불 나라 국 절 사

뜻 **경상북도 경주시 토함산에 있는 신라 시대의 절**

예 **불국사**는 신라의 불교문화를 알 수 있는 중요한 문화유산이다.

불국사 삼층 석탑의 원래 이름은 '석가여래 상주설법탑'이야.
줄여서 석가탑이라고 부르기도 해.
우와! 멋지다.

1일 고조선

고조선이 세워지다!

〈문화-역사 지킴이〉 회원들에게 긴급 연락!
정식 회원이 되기 위한 승급 시험 일정이다!
예~
첫 번째 과제가 우리나라 최초의 국가에 대한 보고서야!
어디서부터 시작하지?
후훗! 우리나라 최초의 국가는 고조선이잖아.
『삼국유사』부터 찾아보자!
삼국유사
『삼국유사』에 고조선 건국과 관련된 이야기가 전해져 오거든.
쑥과 마늘을 먹고 여자로 변한 곰이 환웅과 결혼해 낳은 아이가 고조선을 건국한 단군왕검이래.
윽!
인터넷 조사보다 답사가 낫겠어.
휙
잠깐! 어디로 가려고!

용어 체크

고조선

단군왕검이 세웠다고 전해지는 우리 역사 속 최초의 국가

예 8조법의 내용을 보고 ❶ ______ 사회의 모습을 짐작해 볼 수 있다.

『삼국유사』

고려 시대에 일연이 고조선부터 후삼국까지를 기록한 역사서

예 일연이 쓴 『❷ ______』에 단군왕검 이야기가 전해진다.

정답 ❶ 고조선 ❷ 삼국유사

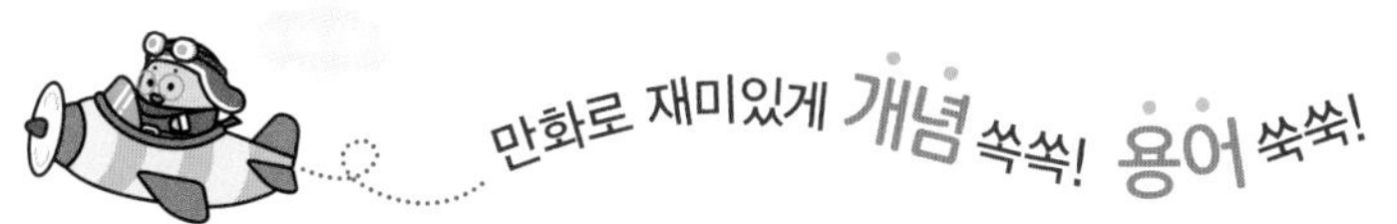

고조선 사람들은 어떻게 살았을까?

오오! 고조선 시대를 재현했나 봐!

박물관에서 조사하는 게 훨씬 더 생생하지?

고조선에도 법이 있었구나!

[고조선의 법]
- 사람을 죽인 사람은 사형에 처한다.
- 남에게 상해를 입힌 사람은 곡식으로 갚는다.
- 남의 물건을 훔친 사람은 노비로 삼는다.

원래는 여덟 개가 있었는데 지금 전해지는 것은 세 개 뿐이야.

노비가 있는 것으로 보아 고조선은 **신분** 사회였나 봐.

법이 굉장히 엄해!

청동으로 만든 검이다!

고조선은 우수한 청동기 문화를 가졌어.

구경만 할 거야? 승급 시험 준비는 어떡하고?

아차!

보고서 제목을 뭘로 할까? 특별한 게 좋은데.

뭐, 보물?

'우리 역사 속 보물찾기' 어때?

용어 체크

노비
남자 종과 여자 종을 이르는 말
예 ❶ [ ] 는 주인집에 살면서 허드렛일을 하였다.

신분
개인이 사회에서 가지는 역할이나 지위
예 상민의 ❷ [ ] 으로 벼슬자리에 오르는 일은 무척 드물었다.

정답 ❶ 노비 ❷ 신분

1일 개념 익히기

1 고조선의 건국 이야기에 대해 알아볼까?

옛날에 환인의 아들인 환웅이 하늘에서 인간 세상을 자주 내려다보며 직접 그곳을 다스리고 싶어 했다. 환웅은 바람, 비, 구름을 다스리는 신하와 무리 삼천 명을 이끌고 내려와 세상을 다스렸다.
어느 날 곰과 호랑이가 환웅을 찾아와 사람이 되게 해 달라고 빌었다. 환웅은 쑥과 마늘을 주면서 "이것을 먹으면서 100일 동안 햇빛을 보지 않으면 사람이 될 것이다."라고 했다. 곰과 호랑이는 동굴로 들어가 이를 지키려고 했으나 호랑이는 참지 못하고 곧 뛰쳐나갔다. 하지만 곰은 환웅이 말한 것을 잘 지켜 여자로 변해 웅녀가 되었다.
웅녀는 환웅과 결혼해 아들을 낳았고, 그 아들이 후에 단군왕검이 되어 고조선을 건국했다.

–『삼국유사』

고조선은 우리 역사 속 최초의 국가야.

농업을 중요하게 생각했음.

곰을 믿는 부족과 호랑이를 믿는 부족이 환웅의 부족과 연합하고 싶어 했음.

곰을 믿는 부족이 환웅 부족과 연합했음.

건국 이야기로 고조선은 ❶(어업 / 농업)을 중요하게 생각했음을 알 수 있습니다.

2 고조선의 법으로 무엇을 알 수 있을까?

고조선의 법 조항을 통해 고조선이 어떤 사회였는지 짐작할 수 있어.

사람을 죽인 사람은 사형에 처한다.

큰 죄는 법으로 엄격하게 다스렸음.

남에게 상해를 입힌 사람은 곡식으로 갚는다.

개인의 재산을 인정했음.

남의 물건을 훔친 사람은 데려다 노비로 삼으며, 죄를 면하려면 50만 전을 내야 한다.

신분 제도와 화폐의 개념이 있었음.

고조선은 개인의 재산을 인정했고 신분 제도와 화폐의 개념이 있었음을 알 수 있습니다.

3 고조선의 문화유산에는 무엇이 있을까?

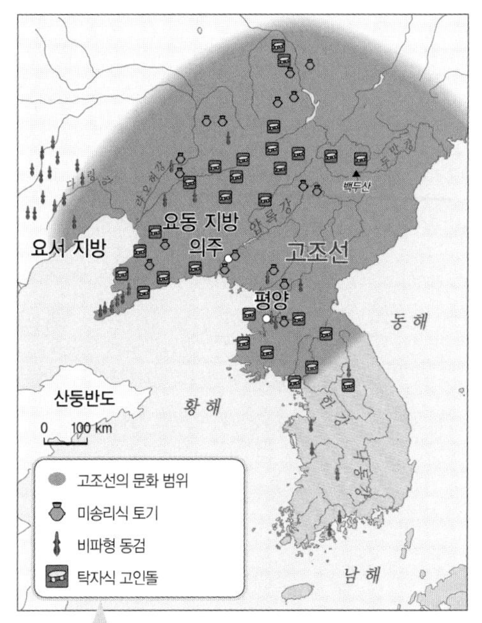

미송리식 토기, 비파형 동검, 탁자식 고인돌의 분포 지역으로 고조선의 문화 범위를 짐작할 수 있어.

비파형 동검

중국 악기인 비파를 닮은 동검

미송리식 토기

평북 의주 미송리에서 처음 발견된 민무늬 토기

탁자식 고인돌

탁자처럼 보이는 고인돌

청동기 시대의 무덤

비파형 동검, ❷(미송리식 / 빗살무늬) 토기, 탁자식 고인돌 등이 고조선의 대표적인 문화유산입니다.

정답 ❶ 농업 ❷ 미송리식

개념 체크

정답과 풀이 1쪽

1 고조선은 □□□□이 건국했다고 전해집니다.

2 고조선은 □□ 사회였습니다.

3 비파형 동검은 □□□의 대표적인 문화유산입니다.

보기
- 단군왕검
- 근초고왕
- 평등
- 신분
- 고조선
- 후백제

개념 확인하기

정답과 풀이 1쪽

[1~2] 다음 건국 이야기를 읽고, 물음에 답하시오.

> 옛날에 환인의 아들인 환웅이 하늘에서 인간 세상을 자주 내려다보며 직접 그곳을 다스리고 싶어 했다. 환웅은 ㉠ 바람, 비, 구름을 다스리는 신하와 무리 삼천 명을 이끌고 내려와 세상을 다스렸다.
>
> ㉡ 어느 날 곰과 호랑이가 환웅을 찾아와 사람이 되게 해 달라고 빌었다. 환웅은 쑥과 마늘을 주면서 "이것을 먹으면서 100일 동안 햇빛을 보지 않으면 사람이 될 것이다."라고 했다. 곰과 호랑이는 동굴로 들어가 이를 지키려고 했으나 호랑이는 참지 못하고 곧 뛰쳐나갔다. 하지만 곰은 환웅이 말한 것을 잘 지켜 여자로 변해 웅녀가 되었다.
>
> ㉢ 웅녀는 환웅과 결혼해 아들을 낳았고, 그 아들이 후에 단군왕검이 되어 ☐을/를 건국했다.
>
> –『삼국유사』

1 위 ㉠~㉢ 중 다음과 같은 의미가 담긴 내용을 찾아 기호를 쓰시오.

> 고조선은 농업을 중요하게 생각했습니다.

( )

2 위 ☐ 안에 들어갈 나라를 바르게 쓴 어린이를 쓰시오.

▲ 수정

▲ 민혁

▲ 예지

( )

3 오른쪽 법 조항을 통해 알 수 있는 고조선 사회의 모습은 어느 것입니까? (　　　)

① 어업을 중시했다.
② 신분 제도가 있었다.
③ 화폐의 개념이 있었다.
④ 철기 문화가 발달했다.
⑤ 개인의 재산을 인정했다.

▲ 남에게 상해를 입힌 사람은 곡식으로 갚는다.

4 고조선의 문화유산으로 알맞은 것을 두 가지 고르시오. (　　,　　)

① 가야금　② 불국사　③ 비파형 동검
④ 무용총 접객도　⑤ 미송리식 토기

5 뒤죽박죽 섞인 글자 카드 속에서 □ 안에 들어갈 알맞은 책을 찾아 쓰세요.

(　　　　　　　　)

2일 삼국의 성립과 발전

삼국의 전성기를 이끈 왕은 누구?

갑자기 한강 유람선은 왜 타?

삼국의 **전성기**가 한강과 관련 있기 때문이지.

한강 유역에 세워진 백제는 4세기 근초고왕 때 가장 먼저 전성기를 맞았지.

고구려는 5세기 광개토 대왕과 장수왕 때 한강 지역으로 영토를 확장하며 전성기를 맞았어.

신라는 진흥왕이 한강 유역을 차지하고 **가야 연맹**을 소멸시켰던 6세기에 전성기를 맞았어.

앵드론, 지금까지 우리의 과제 수행은 어느 정도야?

이제 겨우 5%야.

100%를 채우면 정식 회원이 되는 거야. 또 역사 속 보물을 찾게 될지도 몰라.

와아

좀 더 힘내자!

보물찾기가 진짜였군.

용어 체크

전성기

어느 집단의 힘이 가장 강하던 시기

예 백제는 근초고왕 때 ❶ ______ 를 맞았다.

가야 연맹

1세기~6세기경 경상도와 전라도 일부 지역을 차지했던 연맹 국가

예 진흥왕은 대가야를 흡수하고 ❷ ______ 을 소멸시켰다.

(소멸: 사라져 없어짐.)

정답 ❶ 전성기 ❷ 가야 연맹

삼국은 주변 나라들과 어떤 관계였을까?

용어 체크

서역

옛 중국의 서쪽

예 봉수형 유리병을 통해 신라가 ❶ [　　] 과 교류했음을 알 수 있다.

고분

옛사람들이 만든 무덤

예 옛날 사람들은 ❷ [　　] 벽에 그림을 그리기도 했다.

정답 ❶ 서역 ❷ 고분

2일 개념 익히기

1 백제, 고구려, 신라의 성립을 알아볼까?

기원전 57년
기원전 37년
기원전 18년
신라 건국 : 박혁거세가 지금의 경주 지역에 세웠음.
고구려 건국 : 주몽이 부여를 떠나 졸본에 세웠음.
백제 건국 : 온조가 한강 지역에 세웠음.

고구려는 주몽, 백제는 ❶(온조 / 대조영), 신라는 박혁거세가 세웠습니다.

2 백제와 고구려의 전성기를 알아볼까?

백제의 전성기(4세기 근초고왕)

- 근초고왕 : 남쪽 지역으로 영토를 넓히고 고구려를 공격해 북쪽으로 진출했음.
- 중국, 일본과 활발히 교류했음.

고구려의 전성기(5세기 광개토 대왕, 장수왕)

- 광개토 대왕 : 서쪽으로 요동 지역, 남쪽으로 한강 지역까지 확장했음.
- 장수왕 : 평양 지역으로 수도를 옮기고 **남쪽**으로 영역을 더욱 확장했음.

백제는 4세기 근초고왕 때, 고구려는 5세기 광개토 대왕, 장수왕 때 전성기를 맞았습니다.

3 신라의 전성기에 대해 알아볼까?

5세기 초 고구려가 남쪽 지역으로 진출해 오자 신라는 백제와 손을 잡고 고구려에 맞섰음.

6세기에 이르러 법흥왕이 가야 지역까지 세력을 넓혔음.

진흥왕은 백제 연합군과 함께 고구려가 차지했던 한강 유역을 빼앗았음.

신라의 전성기(6세기, 진흥왕)

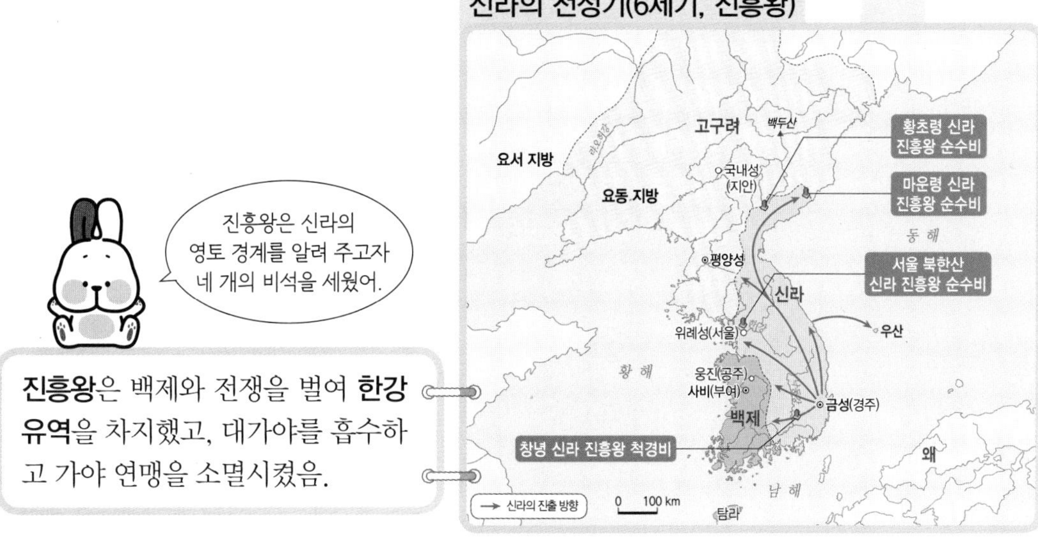

진흥왕은 백제와 전쟁을 벌여 **한강 유역**을 차지했고, 대가야를 흡수하고 가야 연맹을 소멸시켰음.

☑ 신라는 6세기 ❷(진흥왕 / 장수왕) 때 전성기를 맞았습니다.

정답 ❶ 온조 ❷ 진흥왕

개념 체크

정답과 풀이 1쪽

1 박혁거세는 지금의 경주 지역에 □□를 세웠습니다.

2 장수왕은 □□ 지역으로 수도를 옮겼습니다.

3 진흥왕은 백제와 싸워 이겨 □□ 유역을 차지했습니다.

보기
- 신라
- 백제
- 한양
- 평양
- 한강
- 금강

2일 개념 확인하기

정답과 풀이 1쪽

빠른 정답 보기

1 삼국을 세운 사람을 알맞게 선으로 이으시오.

(1) 백제 •   • ㉠ 주몽

(2) 신라 •   • ㉡ 온조

(3) 고구려 •   • ㉢ 박혁거세

2 다음과 같은 업적을 남긴 백제의 왕은 누구입니까? (　　　　)

> 남쪽 지역으로 영토를 넓히고 고구려를 공격해 북쪽으로 진출했으며 백제의 전성기를 이끌었습니다.

① 장수왕 ② 진흥왕 ③ 박혁거세
④ 소수림왕 ⑤ 근초고왕

3 고구려에 대한 설명으로 알맞은 것은 어느 것입니까? (　　　　)

① 박혁거세가 세웠다.
② 기원전 18년에 세워졌다.
③ 한강 지역에 세워진 나라이다.
④ 삼국 중 가장 먼저 전성기를 맞았다.
⑤ 광개토 대왕, 장수왕 때 전성기를 맞았다.

4 신라 진흥왕의 업적으로 알맞은 것은 어느 것입니까? (　　　　)

① 대가야를 흡수했다.
② 고조선을 멸망시켰다.
③ 요동 지역을 차지했다.
④ 평양으로 수도를 옮겼다.
⑤ 광개토 대왕릉비를 세웠다.

집중 연습 문제 고구려의 전성기

[5~6] 다음 고구려의 전성기 지도를 보고, 물음에 답하시오.

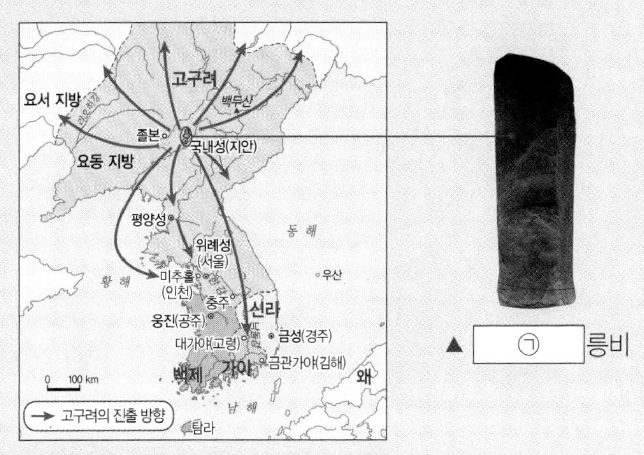

▲ ㉠ 릉비

고구려가 전성기를 이룬 시기는 몇 세기인지 써 볼까?

◯세기

5 위와 같이 고구려의 전성기를 이끌었던 왕을 두 명 고르시오.
(　　　,　　　)

① 장수왕　② 진흥왕　③ 법흥왕
④ 박혁거세　⑤ 광개토 대왕

영토를 크게 확장한 왕이야.

6 위 ㉠에 들어갈 왕의 업적으로 알맞은 것에 ○표를 하시오.

(1) 평양 지역으로 수도를 옮겼습니다. (　　　)
(2) 서쪽으로 요동 지역을 차지했습니다. (　　　)

3일 삼국 통일과 발해

당을 몰아내자!

두두두
두두두
신라 기마병이다!
와아
당
신라
신라와 당은 동맹인데 왜 싸우는 거야?
신라가 당과 동맹을 맺고 백제와 고구려를 무너뜨렸잖아.
그런데 백제와 고구려가 무너지니까 당이 한반도 전체를 차지하려고 했거든.
배신자!
에헴
두둥
신라는 당의 속셈을 눈치채고 당과 싸워 이겨 문무왕 때 삼국 통일을 이루었지.
나도 신라군과 함께 싸울래!
안 돼!
휙
콰직
이건 가상 프로그램이라고.
헤헤
너무 현실적이어서 그만 …….

용어 체크

당

618년에 이연이 세운 뒤 290년간 이어진 중국의 나라

예 백제와 고구려가 멸망하자 ❶ [   ] 은 한반도 전체를 차지하려 했다.

동맹

둘 이상의 국가가 서로의 이익이나 목적을 위하여 동일하게 행동하기로 맹세하여 맺는 약속

예 신라는 고구려와 백제를 이기기 위해 당과 ❷ [   ] 을 맺었다.

정답 ❶ 당 ❷ 동맹

바다 동쪽의 번성한 나라

과제 준비는 안 하고 텔레비전만 보냐?
모르는 소리!
이건 발해의 건국 과정을 다룬 역사 드라마라고!
생각보다 도움이 되더라.
?
고구려가 멸망한 뒤, 대조영은 고구려 유민을 이끌고 발해를 세웠어!
발해
신라
발해는 강력한 나라로 발전해 고구려의 옛 땅을 대부분 되찾았어. 그런 발해를 당에서 '해동성국'이라고 불렀지.
쫑긋
보물 이야기는 언제 하냐고.
어서 준비해! 이제 보물을 가지러 갈 시간이야!
크큭
오! 드디어!
오늘 드라마 주인공 오빠의 팬 사인회가 있거든! 나한테는 보물이라고!
보물이라니?

용어 체크

발해

698년에 대조영이 고구려 유민과 말갈족을 이끌고 세운 나라

예 대조영이 세운 ❶ [　　] 는 강력한 나라로 발전했다.

유민

망해 없어진 나라의 백성

예 발해를 세운 대조영은 고구려의 ❷ [　　] 이었다.

정답 ❶ 발해 ❷ 유민

3일 개념 익히기

1 신라의 통일 과정을 살펴볼까?

백제의 공격을 받은 신라는 당과 동맹을 맺었음.

신라와 당은 무열왕 때 **백제**를 **멸망**시켰음(660년).

가야의 왕족
출신인 김유신은
무열왕과 문무왕을
도와 삼국 통일에
앞장섰어.

무열왕의 뒤를 이은 문무왕은 당과 함께 **고구려**를 **멸망**시켰음(668년).

문무왕은 한반도 전체를 차지하려는 당을 상대로 전쟁을 벌여 승리하고 **삼국 통일**을 이루었음(676년).

신라 삼국 통일의 의의와 한계

- 의의 : 한반도에 있던 여러 나라를 처음으로 통일했음.
- 한계 : 고구려 땅 대부분을 잃어버렸음.

신라는 백제, 고구려를 차례로 멸망시킨 뒤 ❶(당 / 송)과 싸워 이겨 삼국 통일을 이루었습니다.

2 발해에 대해 알아볼까?

성립

말갈족
고구려 유민
발해
대조영

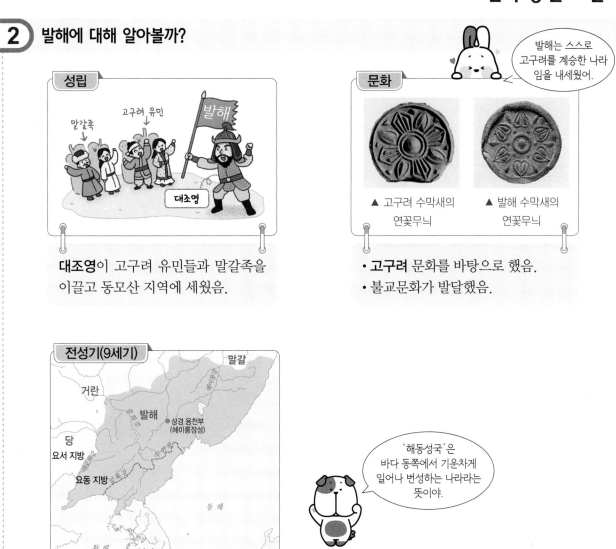

대조영이 고구려 유민들과 말갈족을 이끌고 동모산 지역에 세웠음.

문화

발해는 스스로 고구려를 계승한 나라임을 내세웠어.

▲ 고구려 수막새의 연꽃무늬

▲ 발해 수막새의 연꽃무늬

- **고구려** 문화를 바탕으로 했음.
- 불교문화가 발달했음.

전성기(9세기)

말갈
거란
발해
상경 용천부 (헤이룽장성)
당
요서 지방
요동 지방
동해
황해
신라
금성(경주)
일본
남해
0 100 km

'해동성국'은 바다 동쪽에서 기운차게 일어나 번성하는 나라라는 뜻이야.

- 고구려의 옛 땅을 대부분 되찾았음.
- 당은 발해를 '해동성국'이라고 불렀음.

발해는 ❷(고구려 / 백제)를 계승한 나라로, 강한 국가로 발전했으며 불교문화가 발달했습니다.

정답 ❶ 당 ❷ 고구려

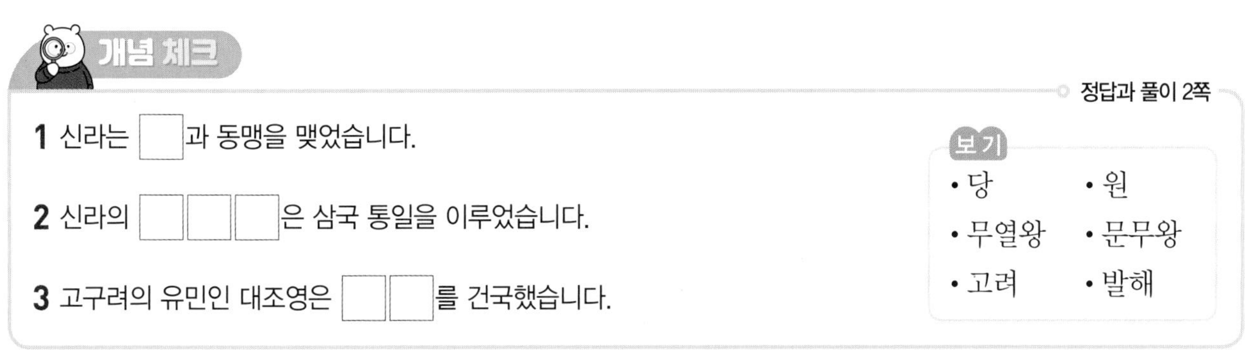

개념 체크

정답과 풀이 2쪽

1 신라는 ☐과 동맹을 맺었습니다.

2 신라의 ☐☐☐은 삼국 통일을 이루었습니다.

3 고구려의 유민인 대조영은 ☐☐를 건국했습니다.

보기
- 당
- 원
- 무열왕
- 문무왕
- 고려
- 발해

3일 개념 확인하기

빠른 정답 보기

○ 정답과 풀이 2쪽

[1~2] 다음 삼국 통일 과정을 보고, 물음에 답하시오.

▲ 신라의 김춘추는 당과 동맹을 맺었음. → ▲ 무열왕은 ㉠ 을/를 멸망시켰음. → ▲ 문무왕이 ㉡ 을/를 멸망시켰음. → ▲ 문무왕은 ㉢ , 삼국 통일을 이루었음.

1 위 ㉠, ㉡에 들어갈 나라를 보기에서 찾아 쓰시오.

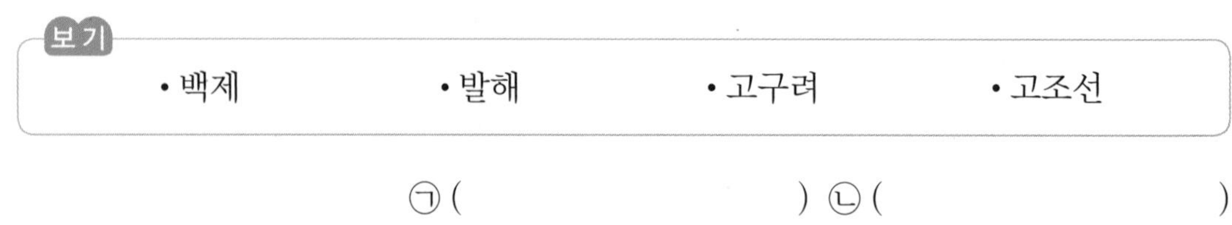

보기

• 백제 • 발해 • 고구려 • 고조선

㉠ (　　　　　) ㉡ (　　　　　)

2 위 ㉢에 들어갈 내용으로 알맞은 것은 어느 것입니까? (　　　)

① 발해와 손을 잡고

② 일본과 동맹을 맺고

③ 고조선을 멸망시키고

④ 당에게 한반도 전체를 주고

⑤ 당과 전쟁을 벌여 승리하고

[3~4] 다음 글을 읽고, 물음에 답하시오.

> ☐의 유민인 대조영은 당이 정치적으로 어지러운 틈을 타 고구려 유민들과 말갈족을 이끌고 스스로 고왕이라 칭하며 동모산 지역에 <u>발해</u>를 세웠습니다.

3 윗글의 ☐ 안에 들어갈 나라는 어디입니까? (　　　　)

① 백제　② 신라　③ 고려　④ 고구려　⑤ 고조선

4 윗글의 밑줄 친 나라에 대한 설명으로 알맞은 것은 어느 것입니까? (　　　　)

① 백제를 계승했다.
② 삼국을 통일했다.
③ 금성이 도읍지였다.
④ 불교문화가 발달했다.
⑤ 우리나라 최초의 국가이다.

똑똑한 하루 퀴즈

5 '발해'가 주제인 퍼즐을 완성하려 할 때, 빈칸에 들어갈 알맞은 퍼즐 조각에 ○표를 하세요.

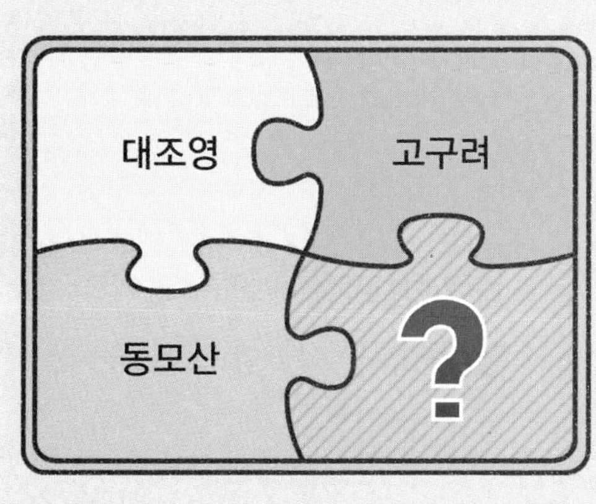

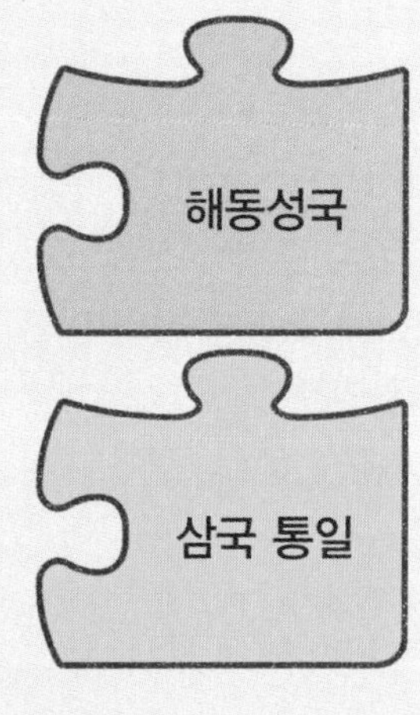

4일 삼국의 문화유산

세계적인 보물, 석굴암!

용어 체크

유네스코

교육, 과학, 문화 등의 분야에서 국제 협력 등을 담당하는 국제 연합의 전문 기관

예 ❶ ________ 는 인류 공동의 유산을 찾아서 보존하는 업무를 한다.

세계 유산

유네스코가 인류를 위해 보호해야 할 가치가 있다고 인정하여 지정한 유산

예 불국사, 석굴암 등은 유네스코에 등록된 우리나라 ❷ ________ 이다.

정답 ❶ 유네스코 ❷ 세계 유산

불교로 백성의 마음을 모은다고?

관광 안내원으로 변장해서 자연스럽게 꼬마들에게 접근해야지.

크크

한편, 과제 수행 장소가 석굴암에서 불국사로 바뀌었다.

갑자기 불국사로 바뀌다니.

석굴암에서 멀지 않아 다행이야.

스님, 삼국 시대에 불교문화가 발달했던 것 같아요.

삼국은 불교를 통해 백성들의 마음을 하나로 모으려고 했지.

귀족의 힘을 누르고 왕의 권위를 세우기 위해서이기도 했단다.

스님! 설명 잘 들었어요!

빨리 집에 가서 정리하자!

문 닫을 시간인데 왜 아직도 안 와!

용어 체크

불국사

경상북도 경주시 토함산에 있는 신라 시대의 절

예 석가탑, 다보탑 등은 ❶ [ ] 에 있는 문화유산이다.

불교

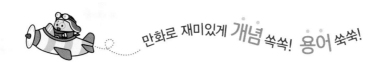

인도의 석가모니가 창시한 부처의 가르침을 따르며 수행하는 종교

예 삼국은 ❷ [ ] 를 받아들이고 백성에게 장려했다.

정답 ❶ 불국사 ❷ 불교

4일 개념 익히기

1 고구려의 문화유산을 알아볼까?

불상 뒷면에는 불상을 만든 까닭과 시기가 기록되어 있어.

무용총 접객도

사람들의 신분에 따라 크기를 다르게 그렸음. ➡ 고구려는 **신분 사회**였음.

금동 연가 7년명 여래 입상

삼국 시대를 대표하는 금동불 ➡ 고구려에서 불교를 받아들였음.

금동불: 구리에 얇은 금을 입힌 불상

고구려의 문화유산에는 **무용총 접객도, 금동 연가 7년명 여래 입상** 등이 있습니다.

2 백제의 문화유산을 알아볼까?

백제 금동 대향로

무령왕릉에서는 일본 소나무로 만든 관, 중국의 문화유산이 함께 발견되었어.

무령왕릉

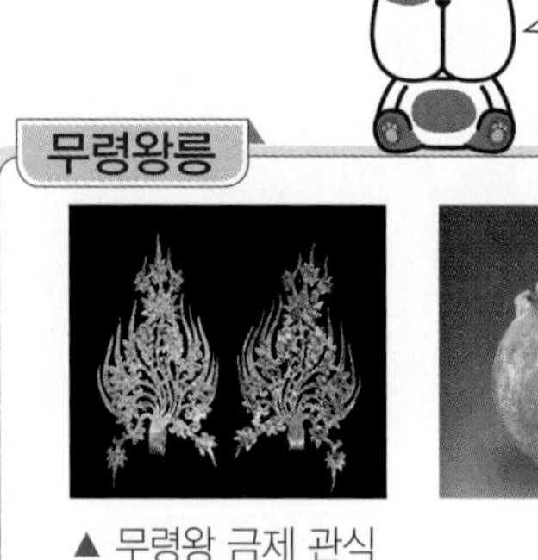

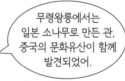

▲ 무령왕 금제 관식

▲ 중국 도자기

익산 미륵사지 석탑

- 백제 금동 대향로 : 백제 사람들의 뛰어난 예술 감각과 능력을 보여 줌.
- 무령왕릉 : 무령왕의 무덤으로, 백제가 중국, 일본과 **교류**했음을 보여 줌.
- 익산 미륵사지 석탑 : 우리나라에 남아 있는 석탑 중에서 가장 오래된 석탑임.

백제의 문화유산에는 **백제 금동 대향로, 무령왕릉,** [1]**(익산 미륵사지 석탑 / 불국사)** 등이 있습니다.

3 신라의 문화유산을 살펴볼까?

봉수형 유리병

봉황의
머리 모양

신라가 서역과 교류했다는 것을 알 수 있음.

황룡사 9층 목탑

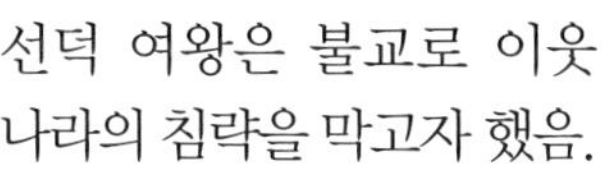

선덕 여왕은 불교로 이웃 나라의 침략을 막고자 했음.

첨성대

하늘의 별, 해와 달의 모습을 관찰하던 시설임.

불국사에는
불국사 삼층 석탑과
다보탑, 청운교와
백운교 등의 불교
유산이 있어.

불국사

부처의 나라를 이루려는 마음을 담아 지었음.

석굴암

화강암을 쌓아 올려 동굴처럼 만든 절임.

불국사와 석굴암은 유네스코 세계 유산 이야.

신라의 문화유산에는 ❷(황룡사 9층 목탑 / 무령왕릉), 첨성대, 불국사 등이 있습니다.

정답 ❶ 익산 미륵사지 석탑 ❷ 황룡사 9층 목탑

개념 체크

정답과 풀이 2쪽

1 무용총 접객도는 [ ][ ][ ]의 문화유산입니다.

2 무령왕릉은 백제가 [ ][ ], 일본과 교류했음을 보여 줍니다.

3 [ ][ ][ ]는 신라 시대의 대표적인 절입니다.

보기
- 고조선
- 고구려
- 중국
- 발해
- 첨성대
- 불국사

4일 개념 확인하기

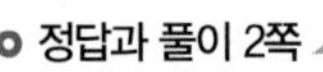

1 오른쪽 무용총 접객도를 보고 바르게 말한 어린이는 누구입니까? (   )

① 연정 : 첨성대에 그려져 있는 벽화야.
② 해림 : 백제를 대표하는 문화유산이야.
③ 현아 : 신라 사람들의 부엌 모습을 알 수 있어.
④ 수현 : 신라와 이웃 나라의 관계를 엿볼 수 있어.
⑤ 초아 : 사람들의 신분에 따라 크기를 달리하여 그렸어.

2 오른쪽 문화유산에 대한 설명으로 알맞은 것을 두 가지 고르시오. (,   )

▲ 금동 연가 7년명 여래 입상

① 일본 소나무로 만들었다.
② 유네스코 세계 유산이다.
③ 무령왕릉에서 발견되었다.
④ 고구려의 불교 문화유산이다.
⑤ 삼국 시대를 대표하는 금동불이다.

3 백제의 대표적인 문화유산은 어느 것입니까? (   )

① 불국사 ② 무령왕릉 ③ 비파형 동검
④ 미송리식 토기 ⑤ 광개토 대왕릉비

1 주

4 선덕 여왕이 불교의 힘으로 이웃 나라의 침략을 막고자 만든 문화유산에 ○표를 하시오.

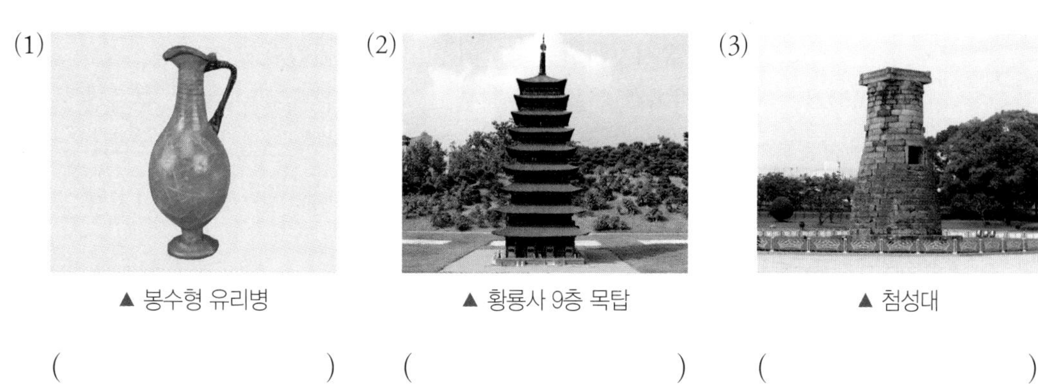
(1) ▲ 봉수형 유리병 (2) ▲ 황룡사 9층 목탑 (3) ▲ 첨성대

( ) ( ) ( )

집중 연습 문제 신라의 문화유산

[5~6] 다음 사진을 보고, 물음에 답하시오.

㉠ ▲ 불국사 ㉡ ▲ 석굴암

제시된 사진은
삼국 중 어느 나라의
문화유산인지
써 볼까?

5 다음에서 설명하는 문화유산은 ㉠, ㉡ 중 무엇인지 기호를 쓰시오.

(1) 화강암을 쌓아 올려 동굴처럼 만든 절 ( )

(2) 부처의 나라를 이루려는 마음을 담아 지은 절 ( )

6 위 문화유산의 공통점으로 알맞은 것은 어느 것입니까? ( )

① 동굴처럼 만들었다.

② 선덕 여왕이 만들었다.

③ 유네스코 세계 유산이다.

④ 하늘의 별, 해와 달의 모습 등을 관찰하는 시설이다.

⑤ 고구려의 불교문화를 알 수 있는 중요한 문화유산이다.

불국사와 석굴암의
아름다운 건축물은
역사적인 가치가 높아.

5일 1주 마무리하기

1 고조선

건국 이야기	• 『삼국유사』에 단군왕검이 고조선을 세웠다고 전해짐. • 고조선이 농업을 중요시했고 곰을 믿는 부족이 환웅 부족과 연합했다는 내용이 담겨 있음.
사회 모습	신분 제도와 화폐의 개념이 있었으며, 개인의 재산을 인정했음.
문화유산	  ▲ 미송리식 토기 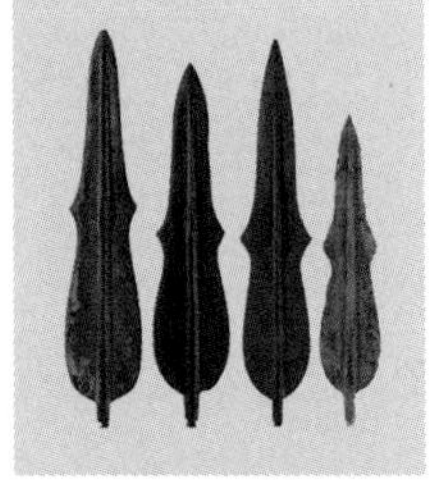 ▲ 비파형 동검  ▲ 탁자식 고인돌

2 삼국의 성립과 발전

	건국	전성기
백제	온조	• 삼국 중 가장 먼저 전성기를 맞았음. • 근초고왕 : 남쪽 지역으로 영토 확장, 북쪽으로 진출
고구려	주몽	• 광개토 대왕 : 요동 지역 차지, 한강 지역으로 세력 확장 • 장수왕 : 평양 천도, 남쪽으로 영역 확장
신라	박혁거세	진흥왕 : 한강 유역 차지, 대가야 흡수, 가야 연맹 소멸

3 삼국 통일

신라와 당의 동맹, 백제 멸망	신라의 김춘추(태종 무열왕)는 당과 동맹을 맺고 왕위에 오른 후 백제를 멸망시켰음(660년).
⬇	
고구려 멸망	문무왕은 당과 함께 고구려를 멸망시켰음(668년).
⬇	
삼국 통일	문무왕은 한반도 전체를 차지하려는 당을 상대로 전쟁을 벌여 승리하고 삼국 통일을 이루었음(676년).

4 발해의 성립과 발전

건국	대조영이 고구려 유민들과 말갈족을 이끌고 동모산 지역에 세웠음.
발전	해동성국이라 불릴만큼 군사, 문화적 힘이 강력한 나라로 발전했음.
문화	• 고구려 문화를 계승했음. • 불교문화가 발달했음.

삼국은 왕의 힘을 강하게 만들고자 불교 문화유산을 만들었어.

5 삼국의 문화유산

백제	무령왕릉, 백제 금동 대향로, 익산 미륵사지 석탑 등
고구려	무용총 접객도, 금동 연가 7년명 여래 입상 등
신라	황룡사 9층 목탑, 첨성대, 불국사, 석굴암 등

20△△년 △△월 △△일

백제 역사 유적 지구가 세계 유산에 선정된 까닭은 무엇일까?

백제는 고구려, 신라와 힘을 겨루는 과정에서 여러 번 도읍지를 옮겨야 했습니다. 이 도읍지들을 중심으로 백제의 문화유산들이 많이 남아 있습니다.

백제의 도읍지들과 관련 있는 공주시, 부여군, 익산시의 유적지들을 묶어 '백제 역사 유적 지구'라고 합니다. 유네스코는 이곳의 문화유산이 백제의 문화적 특징뿐만 아니라 삼국 시대 우리나라와 일본, 중국과의 관계도 잘 보여 준다는 점을 인정해 백제 역사 유적 지구를 세계 유산으로 선정했습니다.

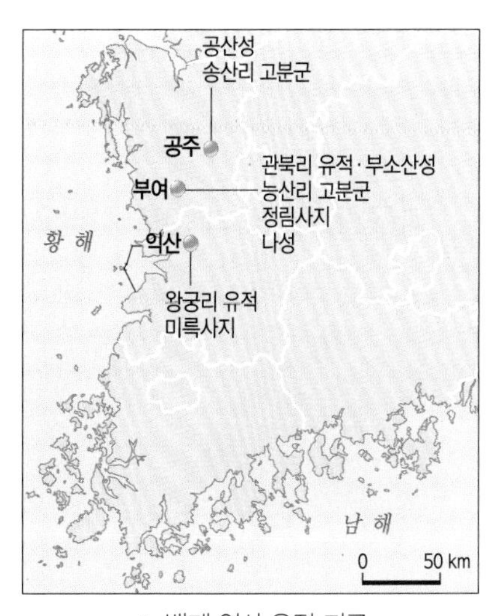

▲ 백제 역사 유적 지구

1주 마무리하기

1일 고조선

1 고조선에 대한 설명으로 알맞은 것을 두 가지 고르시오. (,)

① 주몽이 건국했다.
② 나라를 다스리는 법이 있었다.
③ 우리 역사 속 최초의 국가이다.
④ 대표적인 문화유산에는 불국사가 있다.
⑤『삼국사기』에 건국 이야기가 전해진다.

서술형

2 다음 법 조항을 통해 알 수 있는 고조선 사회의 모습을 쓰시오.

> 남의 물건을 훔친 사람은 데려다 노비로 삼으며, 죄를 면하려면 50만 전을 내야 한다.

____

____

3 다음 문화유산의 분포 지역으로 알 수 있는 점을 보기 에서 찾아 기호를 쓰시오.

▲ 미송리식 토기

▲ 비파형 동검

보기
㉠ 고조선의 법 조항
㉡ 고조선의 문화 범위
㉢ 고조선을 세운 사람
㉣ 고조선의 건국 이야기

( )

정답과 풀이 3쪽

빠른 정답 보기

2일 삼국의 성립과 발전

1주

4 백제의 전성기를 이끌었던 근초고왕의 업적으로 알맞은 것은 어느 것입니까? (　　　　)

① 백제를 세웠다.
② 고구려를 멸망시켰다.
③ 요동 지역을 차지했다.
④ 평양 지역으로 수도를 옮겼다.
⑤ 남쪽 지역으로 영토를 넓혔다.

5 다음 독서 감상문의 □ 안에 들어갈 인물은 누구입니까? (　　　　)

> 고구려의 전성기를 이끈 □ 의 위인전을 읽었다. 서쪽으로는 요동 지역을 차지하고, 남쪽으로는 한강 지역까지 진출한 씩씩한 기상에 감탄했다.

① 장수왕　② 법흥왕　③ 근초고왕
④ 진흥왕　⑤ 광개토 대왕

6 신라의 전성기를 이끌었던 진흥왕의 업적으로 알맞은 것을 두 가지 고르시오.
(　　,　　)

① 평양 천도　② 삼국 통일　③ 대가야 흡수
④ 한강 유역 차지　⑤ 요동 지역 차지

3일 삼국 통일과 발해

7 신라의 삼국 통일에 대한 설명으로 알맞은 것을 보기 에서 찾아 기호를 쓰시오.

보기
㉠ 무열왕 때 삼국 통일을 이루었습니다.
㉡ 신라는 고구려 땅 대부분을 차지했습니다.
㉢ 당과 동맹을 맺고 백제와 고구려를 멸망시켰습니다.
㉣ 가야의 왕족 출신인 김유신이 삼국 통일을 방해했습니다.

( )

8 대조영이 고구려 유민과 말갈족을 이끌고 동모산 지역에 세운 나라를 바르게 말한 어린이를 쓰시오.

▲ 선영 ▲ 지후

▲ 현아

( )

9 당이 발해를 '해동성국'이라고 부른 까닭은 무엇입니까? ( )

① 일본과 교류하지 않았기 때문에
② 한반도 전체를 차지했기 때문에
③ 고조선을 계승한 나라이기 때문에
④ 삼국을 통일하고 번성했기 때문에
⑤ 고구려의 옛 땅을 대부분 되찾고 번성했기 때문에

4일 삼국의 문화유산

1주

10 무령왕릉의 유물을 보고 알 수 있는 점에 ○표를 하시오.

(1) 신라가 서역과 교류했습니다. (   )

(2) 백제가 중국, 일본과 교류했습니다. (   )

11 첨성대에 대한 설명으로 알맞은 것은 어느 것입니까? (   )

① 신라의 불교문화를 알 수 있다.

② 부처의 나라를 이루려는 마음을 담아 지은 절이다.

③ 신라가 서역과 교류했음을 보여 주는 문화유산이다.

④ 하늘의 별, 해와 달의 모습 등을 관찰하는 시설이다.

⑤ 선덕 여왕이 불교의 힘으로 나라의 힘을 모으기 위해 만들었다.

똑똑한 하루 퀴즈

12 다음 초성 퀴즈의 정답을 맞혀 보세요.

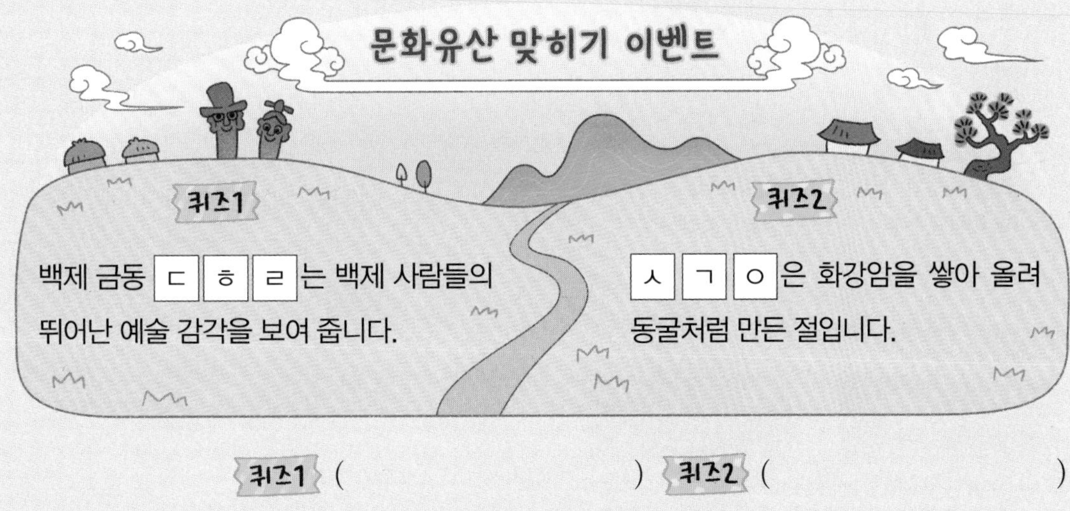

문화유산 맞히기 이벤트
퀴즈1
백제 금동 ㄷ ㅎ ㄹ 는 백제 사람들의 뛰어난 예술 감각을 보여 줍니다.
퀴즈2
ㅅ ㄱ ㅇ 은 화강암을 쌓아 올려 동굴처럼 만든 절입니다.

퀴즈1 (   ) 퀴즈2 (   )

1주 누구나 100점 TEST

맞은 개수 /10개

1 다음 고조선의 법을 통해 알 수 있는 점은 어느 것입니까? (   )

▲ 사람을 죽인 사람은 사형에 처한다.

① 평등 사회였다.
② 화폐의 개념이 있었다.
③ 개인의 재산을 인정했다.
④ 청동기 문화가 발달했다.
⑤ 큰 죄는 엄하게 다스렸다.

2 고조선의 문화유산으로 알맞지 않은 것은 어느 것입니까? (   )

①
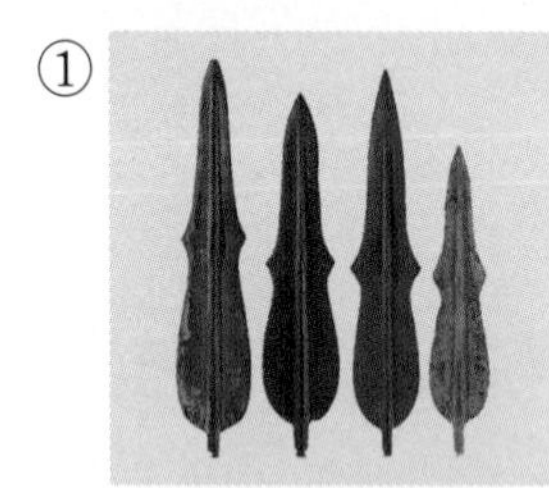
▲ 비파형 동검

②

▲ 미송리식 토기

③

▲ 탁자식 고인돌

④

▲ 익산 미륵사지 석탑

3 백제에 대한 설명으로 알맞은 것은 어느 것입니까? (   )

① 주몽이 세웠다.
② 졸본에 세워진 나라이다.
③ 주변 나라들과 교류하지 않았다.
④ 근초고왕 때 전성기를 맞이했다.
⑤ 삼국 중 가장 늦게 전성기를 맞았다.

4 다음에서 설명하는 고구려의 왕을 쓰시오.

- 광개토 대왕릉비를 세워 광개토 대왕의 업적을 기념했습니다.
- 평양 지역으로 수도를 옮기고 남쪽으로 영역을 더욱 확장했습니다.

(   )

5 다음 ㉠, ㉡에 들어갈 알맞은 내용을 보기에서 찾아 쓰시오.

신라는 6세기 진흥왕 때 [㉠] 유역을 차지했고, [㉡] 연맹을 소멸시키며 전성기를 맞았습니다.

보기
- 한강
- 백제
- 가야
- 압록강
- 고구려
- 대동강

㉠ (   ) ㉡ (   )

6 다음 삼국 통일 과정을 순서대로 기호를 쓰시오.

> ㉠ 백제 멸망
> ㉡ 삼국 통일
> ㉢ 고구려 멸망
> ㉣ 신라가 당 군대 격파

(　　　) → (　　　) → (　　　) → (　　　)

7 발해를 세운 사람은 누구입니까? (　　　)

① 온조　② 대조영
③ 김춘추　④ 김유신
⑤ 박혁거세

8 고구려의 문화유산으로 알맞은 것은 어느 것입니까? (　　　)

① 첨성대
② 무령왕릉
③ 무용총 접객도
④ 황룡사 9층 목탑
⑤ 익산 미륵사지 석탑

9 신라가 서역과 교류했음을 알 수 있는 문화유산은 어느 것입니까? (　　　)

①
▲ 첨성대

②

▲ 봉수형 유리병

③

▲ 무용총 접객도

④

▲ 석굴암

10 다음 문화유산에 대한 설명으로 알맞은 것을 두 가지 고르시오. (　　　,　　　)

▲ 불국사

① 다보탑 등의 문화유산이 있다.
② 삼국 시대를 대표하는 금동불이다.
③ 고구려의 불교문화를 엿볼 수 있다.
④ 유네스코 세계 유산으로 지정되어 있다.
⑤ 백제 사람들의 뛰어난 예술 감각과 능력을 알 수 있다.

1주 특강 생활 속 사회

신라의 문화유산에 대해 알아봅니다.

신라의 문화유산

이번 과제는 신라의 문화유산이야.
답사를 갔던 불국사도 신라의 문화유산 아니야?
맞아. 불국사에는 불국사 삼층 석탑과 다보탑, 청운교와 백운교 등 많은 불교 문화유산이 있어.
다보탑
불국사 삼층 석탑을 보수하는 과정에서 '무구정광대다라니경'도 발견되었지.
'무구정광대다라니경'은 현재 남아 있는 목판 인쇄물 중 가장 오래된 목판 인쇄본이야.
석굴암도 신라의 문화유산이잖아.
불국사와 석굴암은 유네스코 세계 유산으로 지정되었지.
와~

천문대인 첨성대도 신라의 문화유산이야.
신라의 문화유산은 경주에 많이 남아 있네?

그건 경주가 신라의 도읍지였기 때문이야.
그렇구나!
딱

정답과 풀이 4쪽

1 다음 문화유산의 이름과 설명을 알맞게 선으로 연결하세요.

첨성대	불국사	석굴암
하늘의 별, 해와 달의 모습 등을 관찰하던 시설	화강암을 쌓아 올려 동굴처럼 만든 절	다보탑, 청운교와 백운교 등의 문화유산이 있는 절

1주 특강 사고 쑥쑥

○× 문제를 풀어 보며, 고조선의 건국과 사회 모습에 대해 알아봅니다.

2 고조선에 관한 ○× 퀴즈를 풀면서 미로를 빠져 나가는 길을 선으로 연결해 보세요.

출발
우리나라 최초의 국가라고 전해짐.
×
○
온조가 세웠음.
○
×
신분 제도가 없었음.
×
○
화폐의 개념이 있었음.
×
○
법이 있었음.
비파형 동검이 대표적인 문화유산임.
○
×
×
○
○
×
청동기 문화가 발달하지 않았음.
도착

문화유산을 통해 그 당시 사람들의 생활 모습을 살펴봅니다.

3 바람이와 산들이의 대화를 읽고, ☐ 안에 들어갈 문화유산은 무엇인지 기호를 쓰세요.

고구려의 무덤은 돌로 만든 넓은 방이 있어 벽화가 많이 남아 있대.
벽화로 당시 생활 모습을 알 수 있지.

☐을/를 보면 고구려가 신분 사회였다는 걸 알 수 있잖아.

어떻게?
사람들의 크기가 다르게 그려져 있거든.

㉠ 

▲ 금동 연가 7년명 여래 입상

㉡ 

▲ 무용총 접객도

㉢ 

▲ 안악 3호분의 부엌과 고기 창고 그림

㉣ 

▲ 첨성대

( )

창의·융합·코딩

논리 탄탄

코딩을 하며, 삼국 시대의 인물과 문화유산을 알아봅니다.

4 코딩을 실행하여 도착한 곳의 문화유산을 답사하려고 해요. 답사할 문화유산에 ○표를 하세요.

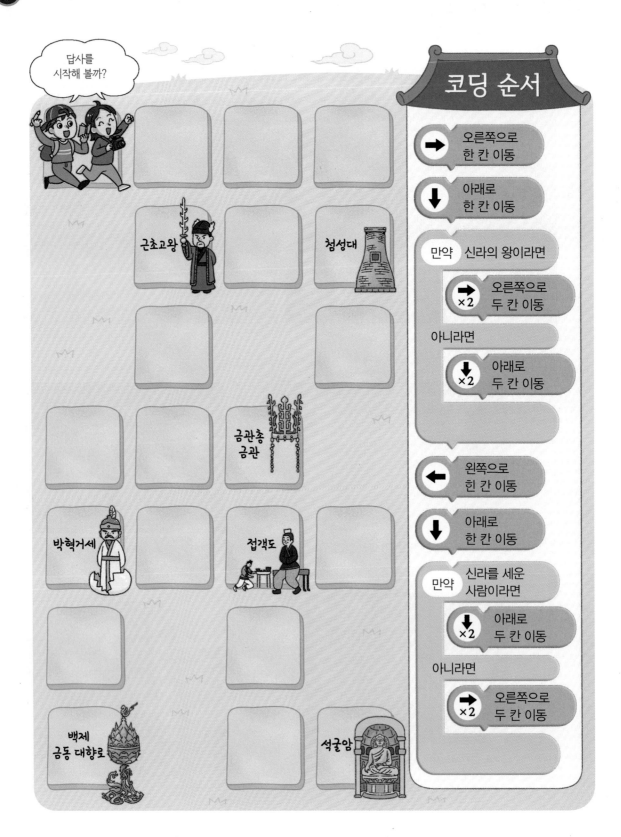

답사를 시작해 볼까?

근초고왕

첨성대

금관총 금관

박혁거세

접객도

백제 금동 대향로

석굴암

코딩 순서

- ➡ 오른쪽으로 한 칸 이동
- ⬇ 아래로 한 칸 이동
- 만약 신라의 왕이라면
  - ➡×2 오른쪽으로 두 칸 이동
- 아니라면
  - ⬇×2 아래로 두 칸 이동
- ⬅ 왼쪽으로 한 칸 이동
- ⬇ 아래로 한 칸 이동
- 만약 신라를 세운 사람이라면
  - ⬇×2 아래로 두 칸 이동
- 아니라면
  - ➡×2 오른쪽으로 두 칸 이동

암호를 풀어 보며, 삼국의 전성기에 대해 알아봅니다.

5 산들과 바람이 삼국의 전성기에 관한 퀴즈를 풀고 있어요. 삼국이 전성기에 공통으로 차지했던 지역은 어디인지 암호를 풀어 맞혀 보세요.

암호 해독표

①	②	③	④	⑤	⑥	⑦	⑧	⑨	⑩	⑪	⑫	⑬	⑭
ㄱ	ㄴ	ㄷ	ㄹ	ㅁ	ㅂ	ㅅ	ㅇ	ㅈ	ㅊ	ㅋ	ㅌ	ㅍ	ㅎ

□	■	◇	◆	☆	★	○	●	♧	♣	♡	♥	♤	♠
ㅏ	ㅑ	ㅓ	ㅕ	ㅗ	ㅛ	ㅜ	ㅠ	ㅡ	ㅣ	ㅐ	ㅒ	ㅔ	ㅖ

정답

2주 고려와 조선

2주에는 무엇을 공부할까? ❶

서희의 담판으로 강동 6주를 얻고 거란이 물러났어.

▲ 서희의 담판

▲ 의병의 활약

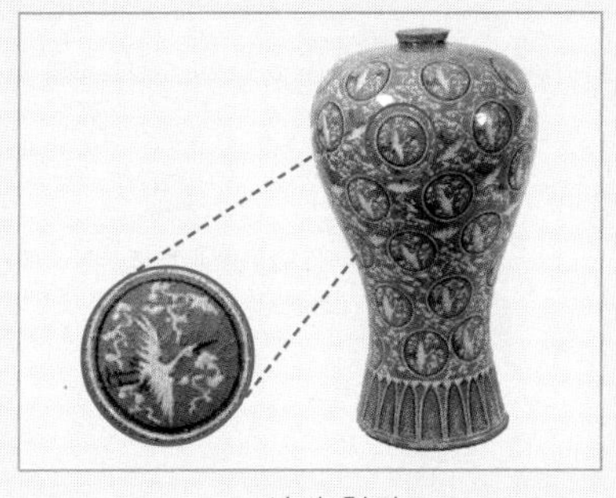
▲ 상감 청자

세종은 여러 과학 발명품을 만들었어.

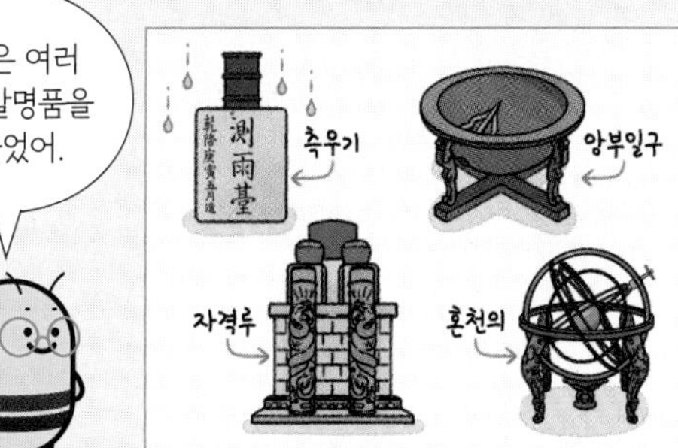

▲ 과학 기구

고려와 조선의 건국과 발전 모습을 살펴보자.

핵심 용어

2주 2주에는 무엇을 공부할까? ❷

고 려

高 麗

높을 고 고울 려

뜻 **918년에 왕건이 세운 나라**

예 왕건은 궁예가 일부 호족들을 억압하자 궁예를 몰아내고 **고려**를 세웠다.

귀주 대첩

뜻 **1019년, 고려에 침입한 거란군을 귀주에서 크게 물리친 싸움**

예 강감찬은 **귀주 대첩**을 승리로 이끌었다.

상감 청자

青 磁

푸를 청 자기 자

뜻 **표면에 무늬를 새기고, 거기에 다른 흙을 메운 후 유약을 발라 구워 만든 청자**

예 고려는 **상감 청자**라는 독창적인 예술품을 만들어 냈다.

1377년에 청주 흥덕사에서 인쇄된 책이야.

『직지심체요절』

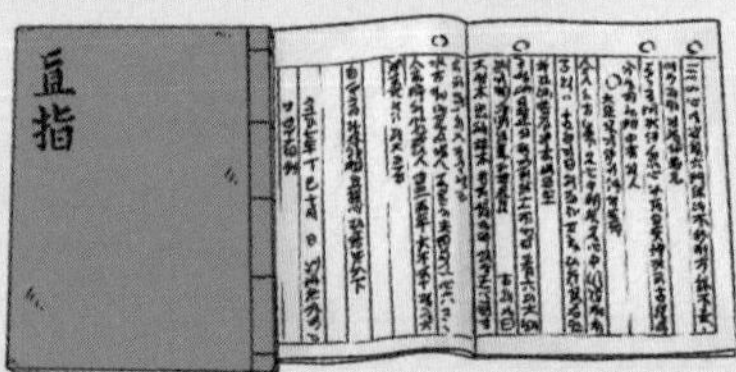

뜻 **오늘날 전해지는 금속 활자 인쇄본 중 가장 오래된 것**

예 **『직지심체요절』**은 유네스코 세계 기록 유산에 등재되어 있다.

고려와 조선은 외침을 극복하며 문화를 발전시키고 지켜 나갔어. 귀주 대첩, 상감 청자, 측우기, 임진왜란 등은 꼭 기억해.

조선

뜻 **이성계가 고려를 무너뜨리고 1392년에 세운 나라**

예 이성계는 **조선**을 건국하고 도읍을 한양으로 삼았다.

조선은 유교를 정치 이념으로 내세우며 세운 나라야.

측우기

測 雨 器

뜻 **조선 세종 때 강수량을 측정하기 위해 제작된 기구**

예 비가 내린 양을 측정할 수 있는 **측우기**는 농사짓는 데 도움이 되었다.

임진왜란

뜻 **1592년에 일본이 조선을 침략하면서 일어나 7년간 계속된 전쟁**

예 이순신은 **임진왜란** 전에 일본군의 침략에 대비했다.

쇠못이 무시무시하다.
적이 올라탈 수 없었겠네.

2주

1일 고려의 건국과 외세의 침입

후삼국이 만들어지다!

시간 순으로 볼 때 이번 과제는 **후삼국**과 관련된 거겠지? 공부를 하면 보물을 알아내는 데 도움이 될 거야.

신라 말 정치가 혼란해지자, 지방에서 **호족**이 등장했네.

호족 중에 세력을 키운 견훤과 궁예가 각각 후백제와 후고구려를 세웠고!

궁예를 몰아내고 고려를 세운 왕건이 후삼국을 통일했군.

왕건

와아

궁예

열심히 공부했으니 힌트를 얻어 보물을 찾겠어!

얘들아, 이번 과제는 고려 시대야.

후삼국은?

후삼국 관련 과제는 없어.

꽈 당

열심히 공부했는데…….

용어 체크

후삼국

신라와 후백제, 후고구려가 서로 경쟁하면서 대립하던 시기

예 고려를 건국한 왕건이 ❶ ______ 을 통일했다.

호족

신라 말 고려 초에 활동한 지방 세력

예 왕건은 송악(개성)의 ❷ ______ 으로 궁예의 신하가 되어 후고구려의 건국을 도왔다.

정답 ❶ 후삼국 ❷ 호족

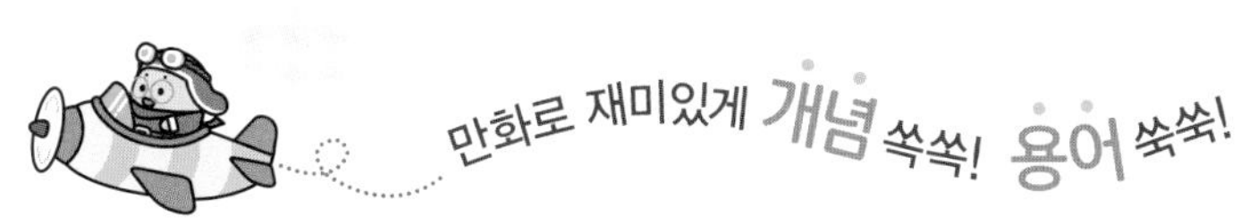

담판으로 적을 물리쳤다고?

거란이 침입했소. 어찌해야 하겠소?

소신 서희가 거란의 장수 소손녕과 담판을 짓겠습니다!

너희 나라는 신라 땅에서 일어났고, 고구려 땅은 우리 소유다.

쾅

우리는 고구려를 계승한 나라다. 그래서 나라 이름을 고려라고 했다.

우리와 국경을 접하고 있는데도 왜 바다를 건너 송과 교류하는가?

여진이 거란으로 가는 길을 막고 있어 거란으로 가는 것이 어렵다.

강동 6주를 줄 테니 거란과 교류합시다.

하하

좋소!

척

간밤에 내가 서희가 된 꿈을 꿨어! 정말 생생하더라!

꿈까지 꿀 정도로 과제 준비를 열심히 했구나.

담판

서로 맞선 관계에 있는 쌍방이 의논해 옳고 그름을 판단함.

예 서희는 거란의 장수 소손녕과 ❶ ______ 을 지었다.

강동 6주

고려 시대에 나라의 서북 방면인 압록강 하류 동쪽에 있던 6개의 행정 지역

예 거란은 고려에 ❷ ______ 를 돌려 달라고 요구했다.

정답 ❶ 담판 ❷ 강동 6주

1일 개념 익히기

1 고려의 후삼국 통일과 왕건의 정책을 알아볼까?

왕건은 송악의 호족으로 후고구려의 건국을 도왔어.

신라 말 왕위 다툼으로 정치가 혼란해지자, 지방에서는 **호족**들이 등장했음.
(군사력과 경제력을 바탕으로 각 지방을 다스렸음.)

호족 중에서 견훤이 후백제(900년)를, 궁예가 후고구려(901년)를 세웠음.

궁예가 일부 호족들을 억압하자 **왕건**이 궁예를 몰아내고 **고려**를 세웠음(918년).

후백제의 공격으로 많이 약해진 신라가 고려에 항복했음(935년).

후삼국 통일
모두 한민족 나의 백성!
왕건
우리도 이제 고려인?

왕위 다툼으로 약해진 후백제를 물리치고 왕건이 후삼국을 **통일**했음(936년).

왕건의 정책

- 불교를 장려했음.
- 백성들의 세금을 줄였음.
- 발해 유민을 받아들였음.
- 호족을 견제하되 존중했음.

☑ 고려의 ❶(왕건 / 견훤)은 신라가 항복한 뒤 후백제를 물리치고 후삼국을 통일했습니다.

2 거란의 침입과 고려의 대응을 알아볼까?

2차 침입 때 개경을 빼앗기기도 했지만 돌아가는 거란에 많은 피해를 주었어.

개념 동영상

1차 침입-서희의 담판
왜 바다를 건너 송과 교류하는가?
소손녕
서희
여진이 길을 막고 있어 거란으로 가는 것이 어렵다.

- 고려와 송의 관계를 끊기 위해 침입함.
- **서희**가 담판을 벌여 강동 6주를 차지함.

3차 침입-귀주 대첩
거란을 물리쳐라!
강감찬

- 강동 6주를 돌려받기 위해 침입함.
- **강감찬**이 귀주에서 크게 물리침.

☑ 거란의 1차 침입은 서희의 담판으로, 3차 침입은 강감찬의 귀주 대첩으로 물리쳤습니다.

3 몽골의 침입과 고려의 대응을 알아볼까?

고려에 온 몽골 사신이 돌아가는 길에 죽자, 몽골은 고려를 침입했음.

고려는 개경에서 **강화도**로 도읍을 옮기고 맞섰음.

오랜 전쟁으로 수많은 사람이 죽었고, 황룡사 9층 목탑 등의 문화재도 불탔음.

고려의 왕과 일부 신하는 전쟁을 멈추는 조건으로 강화도에서 개경으로 돌아옴.

우린 끝까지 싸울 것이다!
삼별초
이제 그만 항복해!
예! 장군!
진도

고려는 몽골의 간섭을 받았지만, 나라를 유지하고 고유의 문화를 지킬 수 있었어.

삼별초는 이에 반발하여 근거지를 진도와 탐라(제주)로 옮겨 가며 고려 조정과 몽골에 끝까지 저항했으나 실패했음.

고려는 ❷(강화도 / 한양)(으)로 도읍을 옮겨 저항했으나 결국 몽골의 간섭을 받았습니다.

정답 ❶ 왕건 ❷ 강화도

개념 체크

정답과 풀이 5쪽

1 후백제는 [ ][ ]이/가 건국했습니다.

2 강감찬은 [ ][ ]에서 거란군을 크게 무찔렀습니다.

3 고려는 강화도로 도읍을 옮기고 [ ][ ]에 대항했습니다.

보기
- 궁예
- 견훤
- 귀주
- 경주
- 거란
- 몽골

개념 확인하기

정답과 풀이 5쪽

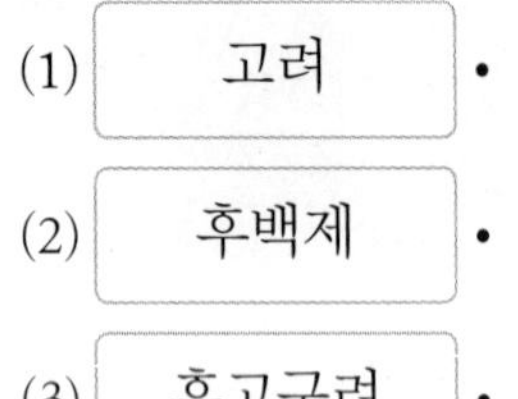

1 다음 나라를 세운 사람을 알맞게 선으로 이으시오.

(1) 고려 •   • ㉠ 견훤

(2) 후백제 •   • ㉡ 궁예

(3) 후고구려 •   • ㉢ 왕건

2 다음 보기의 내용을 후삼국의 통일 과정에 맞게 순서대로 기호를 쓰시오.

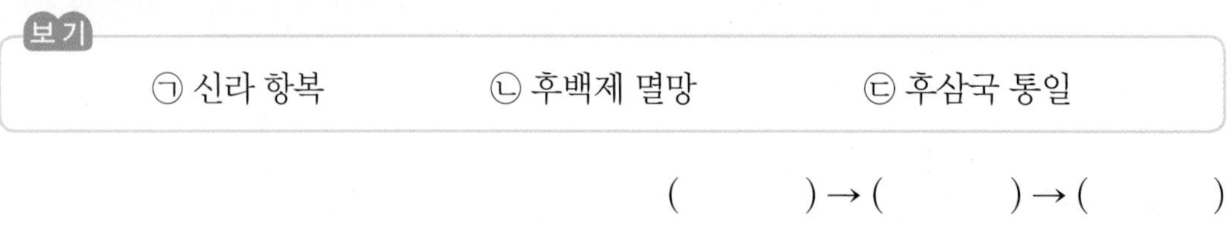

보기

㉠ 신라 항복   ㉡ 후백제 멸망   ㉢ 후삼국 통일

(   ) → (   ) → (   )

3 왕건의 정책으로 알맞지 않은 것은 어느 것입니까? (   )

① 불교를 장려했다.
② 발해 유민을 받아들였다.
③ 백성들의 세금을 줄였다.
④ 호족을 견제하되 존중했다.
⑤ 수도를 한양으로 옮기고 남쪽으로 영토를 넓혔다.

4 고려가 거란의 침입을 물리친 것과 관련된 사건을 두 가지 고르시오. (,   )

① 임진왜란   ② 병자호란   ③ 행주 대첩
④ 귀주 대첩   ⑤ 서희의 담판

5 고려가 다음과 같은 이유로 도읍으로 정하고 옮긴 지역은 어디입니까? (   )

육지와 가까운 섬이지만 물살이 매우 빠르고 갯벌이 넓어 몽골군이 침략하기 어려운 지역이었습니다.

① 서경 ② 진도 ③ 탐라
④ 개경 ⑤ 강화도

서희의 담판

[6~7] 다음 서희의 담판 그림을 보고, 물음에 답하시오.

우리와 국경을 접하고 있는데도 왜 바다를 건너 송과 교류하는가?
여진이 길을 막고 있어 거란으로 가는 것이 어렵다.

서희가 담판을 벌인 사람은 누구인지 써 볼까?

6 서희가 담판한 나라를 보기에서 골라 쓰시오.

보기
• 몽골 • 거란 • 여진

(   )

7 위 담판의 결과로 고려가 얻은 성과는 무엇입니까? (   )

① 개경을 빼앗겼다.
② 거란을 멸망시켰다.
③ 강동 6주를 차지했다.
④ 후삼국을 통일할 수 있었다.
⑤ 송과 활발하게 교류할 수 있게 되었다.

고려는 송과 관계를 끊고 거란과 교류할 것을 약속했어.

2일 고려의 문화유산

귀족들도 사랑한 고려청자

이곳에 보물이 있나?

도자기 전시회

고려청자는 고려를 대표하는 예술품이에요.

청자 무늬를 아주 정교하고 아름답게 그렸어요!

청자를 만드는 기술은 중국에서 들어왔지만 고려는 **상감 청자**를 만들었답니다.

청자는 만들기가 어려워서 왕실과 귀족들이 주로 사용했지요.

귀족들이 사용했다면 가치가 높겠네요?

보물 중의 보물! 저건 이제 내 거야!

크크

진짜는 박물관에 전시되어 있답니다.

하하

좋다 말았네.

그래서 고려청자가 보물 취급을 받는 거구나.

용어 체크

상감 청자

표면에 무늬를 새기고, 거기에 다른 흙을 메운 후 유약을 발라 구워 만든 청자

예 고려는 ❶ ______ 라는 독창적인 예술품을 만들어 냈다.

청자 상감 모란무늬 항아리 ▶

정답 ❶ 상감 청자

부처의 힘으로 어려움을 극복한다고?

뭐 해?
팔만 대장경 만들기에 도전해 보려고!

고려에서는 부처의 힘에 의지해 전쟁 같은 어려움을 극복하려고 했어.
알아. 부처의 힘으로 몽골의 침입을 이겨 내려고 팔만대장경을 만들었잖아.

목판 8만여 장에 불경을 새긴 것임에도, 글자가 고르고 틀린 글자도 거의 없어.

팔만대장경판은 우수성을 인정받아 유네스코 세계 기록 유산에 등재되었지.
팔만대장경판을 보관하는 장경판전도 유네스코 세계 유산이야.
한 장 완성! 남은 건 79,999장!
헐
너 정말로 8만 장을 새기려고?

용어 체크

대장경

불교 경전을 모두 모아 놓은 것

예 고려는 몽골 침입 이전에 ❶ ______ 을 만들었으나 불에 타 없어졌다.

세계 기록 유산

유네스코가 세계의 귀중한 기록물을 보존하고 활용하고자 선정하는 문화유산

예 『직지심체요절』은 ❷ ______ 으로 현재 프랑스 국립 도서관에 보관되어 있다.

정답 ❶ 대장경 ❷ 세계 기록 유산

2일 개념 익히기

1 고려청자에 대해 살펴볼까?

청자를 만들려면 가마와 유약을 만드는 기술, 불을 다루는 기술도 뛰어나야 했어.

상감 청자

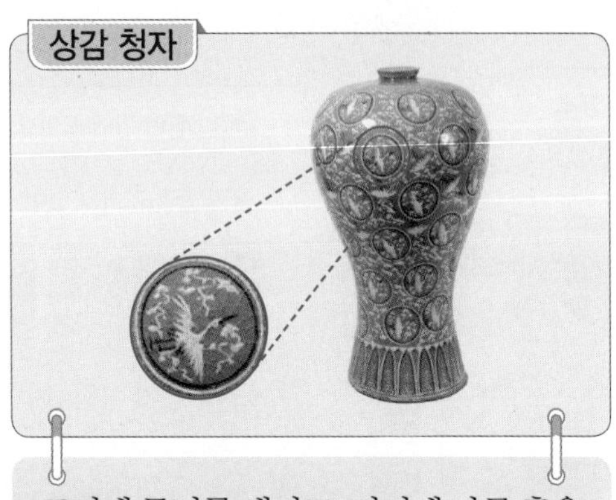

표면에 무늬를 새기고, 거기에 다른 흙을 메운 후 유약을 발라 구웠음.

쓰임새

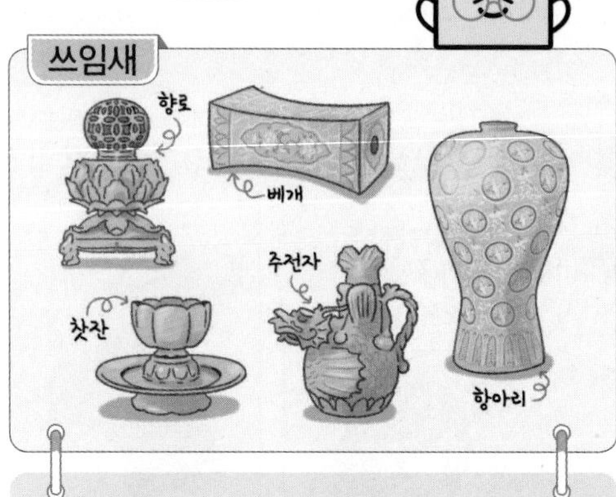

다양한 용도로 썼지만 만들기가 어렵고 귀해서 왕실과 귀족들이 주로 사용했음.

청자를 만드는 기술은 중국에서 들어왔으나 고려는 ❶(상감 청자 / 백자)를 만들어 냈습니다.

2 팔만대장경에 대해 알아볼까?

만든 까닭

부처의 힘으로 **몽골의 침입**을 이겨 내기 위해서

팔만대장경판은 유네스코 세계 기록 유산으로 등재되어 있어.

고려의 목판 제조술, 조각술, 인쇄술이 매우 뛰어났음을 알 수 있지.

▲ 합천 해인사 대장경판

우수성

십여 년간 목판 8만여 장에 불경을 새긴 것임에도, 글자가 고르고 틀린 글자도 거의 없음.

보관-합천 해인사 장경판전

조선 시대에 건축된 장경판전은 과학적으로 설계되어 대장경판을 현재까지 잘 보존할 수 있었음.

몽골의 침입을 이겨 내고자 만들었으며, 우수성을 인정받아 유네스코 세계 기록 유산으로 등재되어 있습니다.

3 금속 활자에 대해 알아볼까?

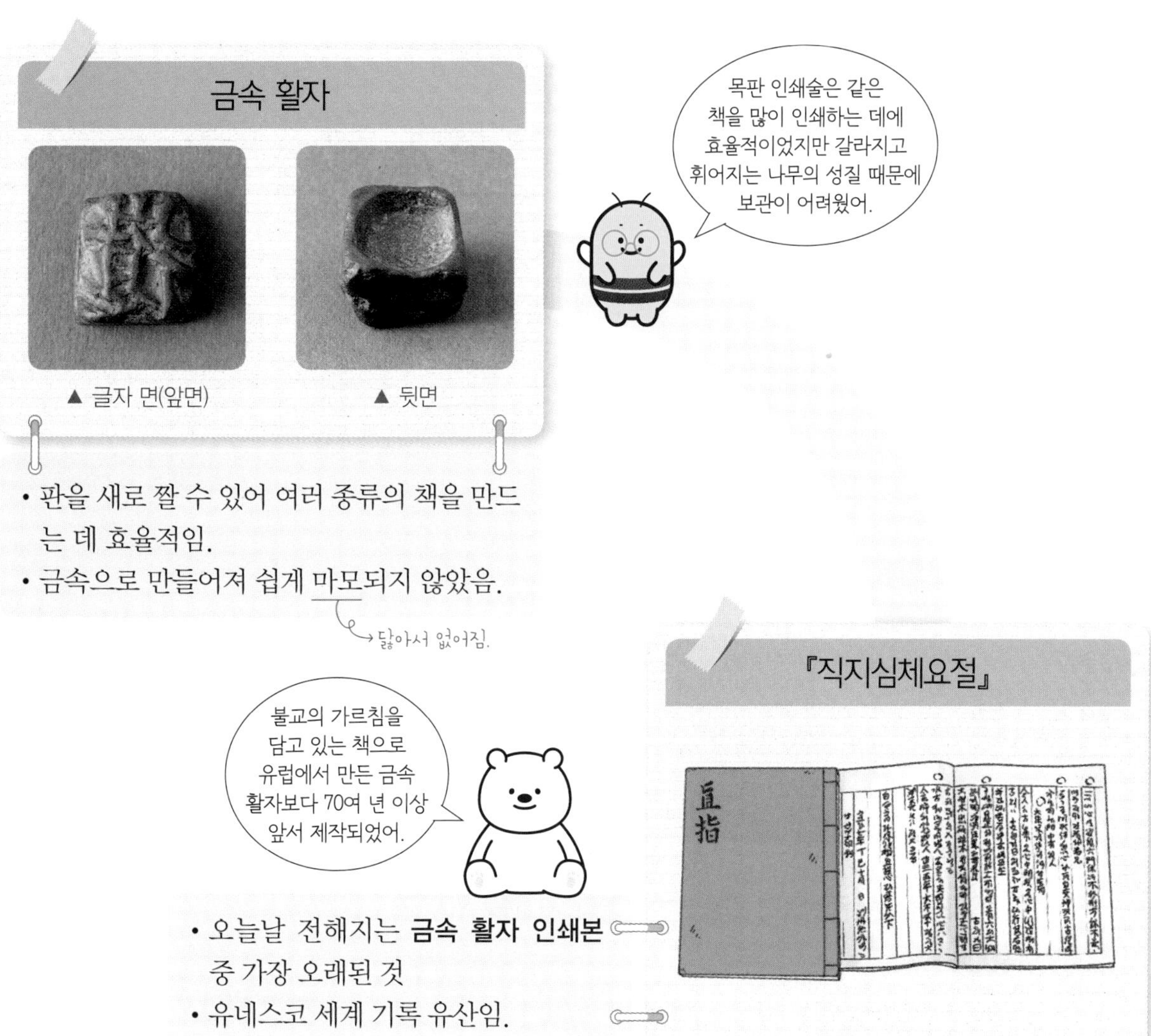

금속 활자
▲ 글자 면(앞면)
▲ 뒷면
목판 인쇄술은 같은 책을 많이 인쇄하는 데에 효율적이었지만 갈라지고 휘어지는 나무의 성질 때문에 보관이 어려웠어.
• 판을 새로 짤 수 있어 여러 종류의 책을 만드는 데 효율적임.
• 금속으로 만들어져 쉽게 마모되지 않았음.
닳아서 없어짐.
『직지심체요절』
불교의 가르침을 담고 있는 책으로 유럽에서 만든 금속 활자보다 70여 년 이상 앞서 제작되었어.
• 오늘날 전해지는 금속 활자 인쇄본 중 가장 오래된 것
• 유네스코 세계 기록 유산임.

금속 활자는 보관이 ❷(쉬웠고 / 어려웠고), 여러 종류의 책을 만드는 데 효율적이었습니다.

정답 ❶ 상감 청자 ❷ 쉬웠고

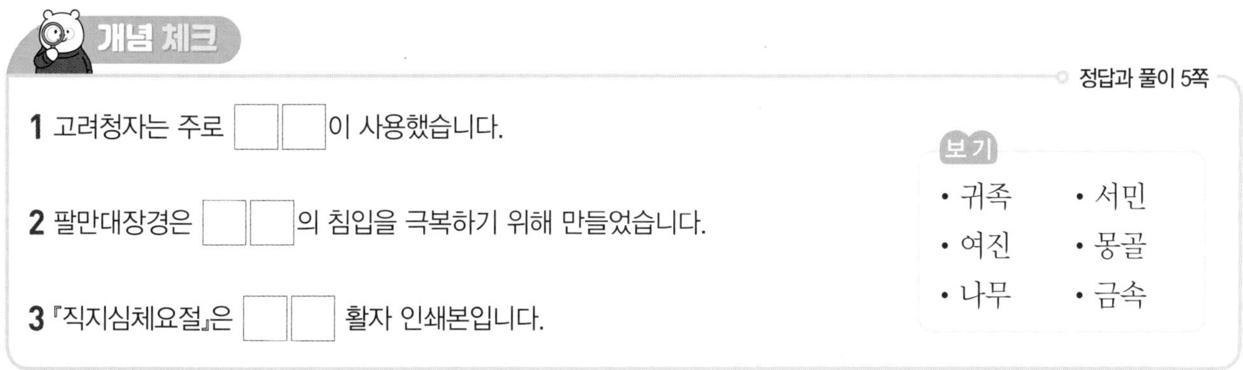

개념 체크

정답과 풀이 5쪽

1 고려청자는 주로 ☐☐이 사용했습니다.

2 팔만대장경은 ☐☐의 침입을 극복하기 위해 만들었습니다.

3 『직지심체요절』은 ☐☐ 활자 인쇄본입니다.

보기
• 귀족 • 서민
• 여진 • 몽골
• 나무 • 금속

개념 확인하기

정답과 풀이 5쪽

빠른 정답 보기

1 고려청자에 대한 설명으로 알맞은 것은 어느 것입니까? (　　　　)

① 만들기가 쉬웠다.
② 장식품으로만 사용했다.
③ 주로 서민들이 사용했다.
④ 당시 귀족들의 화려한 문화를 엿볼 수 있다.
⑤ 청자를 만드는 기술은 본래 거란에서 들어왔다.

[2~3] 다음 문화유산을 보고, 물음에 답하시오.

2 위 문화유산은 무엇인지 보기에서 골라 기호를 쓰시오.

보기
㉠『직지심체요절』　㉡ 합천 해인사 장경판전　㉢ 합천 해인사 대장경판

(　　　　　　　　)

3 위 문화유산에 대한 설명으로 알맞지 않은 것을 두 가지 고르시오. (　　,　　)

① 불국사에 보관되어 있다.
② 거란의 침입을 이겨 내고자 만들었다.
③ 글자가 고르고 틀린 글자도 거의 없다.
④ 현재 유네스코 세계 기록 유산으로 등재되어 있다.
⑤ 고려의 목판 제조술, 조각술 등의 기술이 뛰어났음을 알 수 있다.

4 금속 활자에 대해 바르게 알고 있는 어린이를 쓰시오.

진영 : 목판에 비해 같은 책을 많이 인쇄하는 데 효율적이야.
소윤 : 갈라지거나 휘어지는 성질 때문에 보관하기 어려웠어.
미연 : 판을 새로 짤 수 있어 여러 종류의 책을 만드는 데 효율적이었어.

( )

5 『직지심체요절』에 대한 설명으로 알맞은 것은 어느 것입니까? ( )

① 신라의 문화유산이다.
② 우리나라 최초의 목판 인쇄본이다.
③ 유교의 가르침을 담고 있는 책이다.
④ 현재 합천 해인사 장경판전에 보관되어 있다.
⑤ 오늘날 전해지는 금속 활자 인쇄본 중 가장 오래된 것이다.

똑똑한 하루 퀴즈

6 다음 ㉠, ㉡에 들어갈 단어가 적힌 숫자가 비밀번호의 뒷자리예요. 비밀번호를 맞혀 보세요.

청자를 만드는 기술은 [㉠]에서 들어왔으나 고려는 표면에 무늬를 새기고, 다른 흙을 메워 유약을 발라 굽는 [㉡] 청자를 만들어 냈습니다.

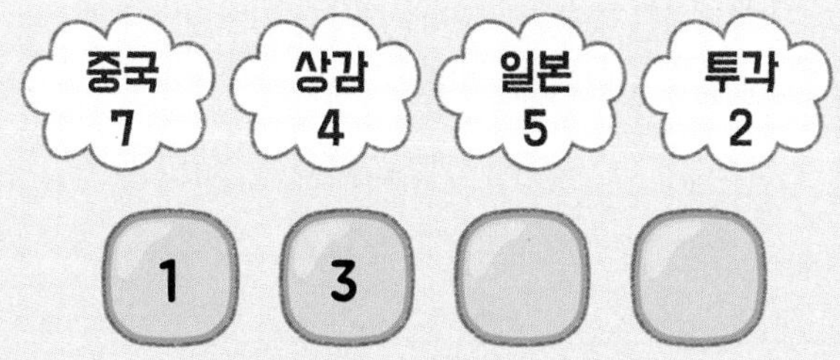

3일 조선의 건국과 사회 모습

백성은 나라의 근본!

용어 체크

유교

공자의 가르침을 따르며 나라에 충성하고 부모에게 효도하는 것을 중요시하는 학문

예 조선은 ❶ [ ] 질서를 바탕으로 한 나라이다.

인의예지신

인자하고, 의롭고, 예의 바르고, 지혜롭고, 믿음이 있어야 한다는 뜻

예 한양의 사대문은 ❷ [ ] 에서 이름을 땄다.

정답 ❶ 유교 ❷ 인의예지신

2주

조선의 문화를 꽃피운 세종

세종이 만든 과학 기구에는 뭐가 있을까?

비가 내린 양을 측정할 수 있는 측우기! 측우기를 각 고을에 보급해서 지역의 기후를 파악하는 데 사용했어.
測雨臺

혼천의를 만들고 이를 이용해 조선 실정에 맞는 『칠정산』이라는 달력을 만들었잖아.

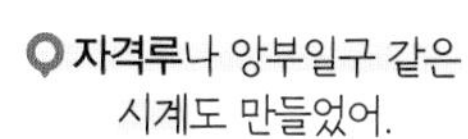

자격루나 앙부일구 같은 시계도 만들었어.

으음. 나라면 좀 더 편리하게 만들었을 텐데. 예를 들면 이렇게…….

하나로 모든 기능을 다하는 통합형 기구!

용어 체크

혼천의

해와 달, 별의 움직임을 관찰할 수 있는 기구

예 세종은 각종 천문 현상을 연구하고자 ❶ _____를 만들었다.

자격루

스스로 종을 쳐서 시각을 알려 주는 물시계

예 물시계인 ❷ _____는 날씨에 영향을 받지 않고 시간을 알 수 있다.

정답 ❶ 혼천의 ❷ 자격루

3일 개념 익히기

1 조선의 건국에 대해 살펴볼까?

고려 말 외적의 침입과 권문 세족의 횡포로 나라 안팎이 혼란스러웠음.

신진 사대부 중 일부는 신흥 무인 세력과 손잡고 고려 사회의 문제를 해결하고자 했음.

고려 말 등장한 새로운 정치 세력으로 성리학을 공부하고 과거 시험으로 관리가 된 사람들

이성계가 위화도에서 군대를 되돌려 권력을 잡았음(1388년).

토지 제도 개혁 등 여러 제도를 고쳐 사회를 개혁하고자 했음.

고려를 유지하며 개혁을 하려 했던 정몽주를 제거했음.

이성계가 조선을 건국(1392년)하고 **한양**으로 도읍을 옮겼음.

한양은 물자를 옮기거나 농사짓고 생활하기에 좋은 조건을 갖추고 있었어.

이성계는 ❶(신진 사대부 / 호족) 일부와 손잡고 조선을 건국하고 한양을 도읍으로 정했습니다.

2 세종 대에 이루어 낸 발전을 살펴볼까?

측우기, 앙부일구, 자격루, 혼천의 등의 과학 기구를 발명함.

글을 몰라 어려움을 겪는 백성들을 위해 **훈민정음**을 만듦.

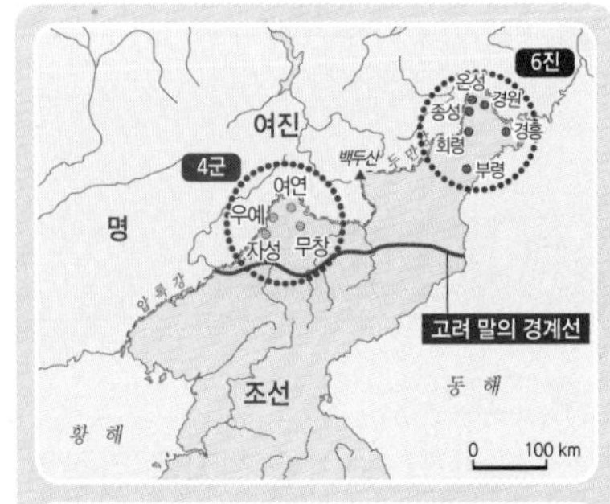

4군 6진을 개척해 국경을 압록강과 두만강까지 확대함.

측우기 등 과학 기구의 발명, ❷(훈민정음 / 팔만대장경) 창제, 4군 6진 개척 등을 이루었습니다.

3 조선 시대에는 신분에 따라 사는 모습이 어떻게 달랐을까?

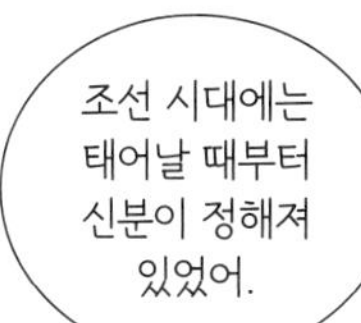

조선 시대에는
태어날 때부터
신분이 정해져
있었어.

관리가 되거나, 유교의 가르침이 담긴 책을 공부했음.

궁궐에서 그림을 그리거나 외국 사신을 맞이하여 **통역**을 했음.

농사를 지으며 나라에 큰 공사나 일이 있을 때 불려나갔음.

천민
천민은 따로
살면서 주인집에
돈이나 물건을
바치기도 했어.

양반의 집이나 관공서에서 **허드렛일**과 물건 만드는 일을 했음.

조선 시대에는 **유교적 질서에 따라 주어진 신분에 맞게 생활**했습니다.

정답 ❶ 신진 사대부 ❷ 훈민정음

개념 체크

정답과 풀이 6쪽

1 이성계는 ☐☐을/를 건국했습니다.

2 세종은 측우기, ☐☐☐☐와/과 같은 과학 기구를 만들었습니다.

3 조선 시대에 ☐☐은 관리가 되어 나라를 다스렸습니다.

보기

- 조선
- 고려
- 훈민정음
- 앙부일구
- 상민
- 양반

3일 개념 확인하기

○ 정답과 풀이 6쪽

1 고려를 멸망시키고 조선을 세운 사람은 누구입니까? (　　　　)

① 김유신　② 이성계　③ 정몽주
④ 김춘추　⑤ 이순신

2 다음과 같은 이유로 조선이 도읍으로 삼은 곳은 어디입니까? (　　　　)

> 한강을 거쳐 물자를 옮기거나 농사짓고 생활하기에 좋은 조건을 갖추고 있었습니다.

① 경주　② 평양　③ 한양
④ 국내성　⑤ 강화도

3 세종이 만든 과학 기구로 알맞지 않은 것은 어느 것입니까? (　　　　)

①

▲ 자격루

②

▲ 측우기

③

▲ 거중기

④

▲ 혼천의

⑤

▲ 앙부일구

4 다음 중 양반의 집에서 허드렛일을 했던 조선 시대의 신분을 찾아 기호를 쓰시오.

㉠ 
▲ 상민

㉡ 
▲ 천민

㉢ 
▲ 중인

( )

집중 연습 문제 세종의 업적

[5~6] 다음 자료를 보고, 물음에 답하시오.

㉠ 

▲ 훈민정음 창제

㉡ 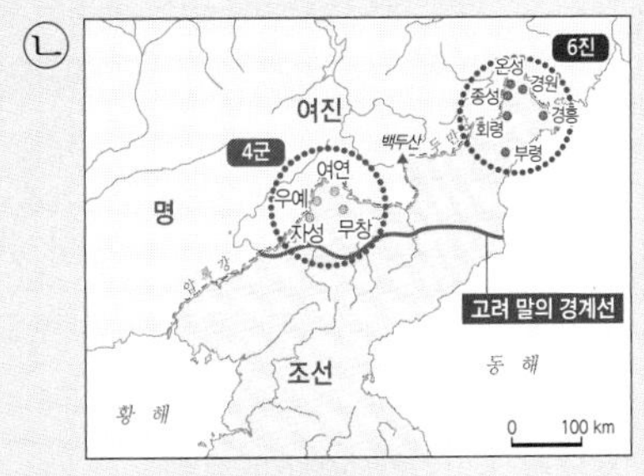

▲ 4군 6진 개척

제시된 자료와 같은 업적을 이룬 조선의 왕을 써 볼까?

5 위 ㉠과 관련하여 바르게 말한 어린이를 쓰시오.

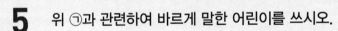

성원 : 양반들이 글을 쉽게 쓰게 하기 위해 만들었어.
지연 : 글을 몰라 어려움을 겪는 백성들을 위해 만들었어.

( )

6 다음은 위 ㉡과 같은 4군 6진의 개척으로 인한 조선의 영토 변화 모습입니다. □ 안에 들어갈 알맞은 강을 쓰시오.

조선의 국경을 □과 두만강까지 확대했습니다.

( )

여진족이 끊임없이 국경을 넘어오자 4군 6진을 개척했어.

4일 임진왜란과 병자호란

 일본의 침입을 물리치자!

이번 과제는 임진왜란이야.

일본이 조선을 침입해서 일어난 전쟁 말이지? 전쟁 초반에 조선군이 계속 졌잖아.

이순신이 이끄는 조선 수군이 일본 수군과 싸워 승리하면서 일본군이 전략을 펼치기 어렵게 되었지.

포를 쏴라! 거북선을 보내라!

펑

펑

펑

조선이 행주산성에서 크게 이기자 일본군은 매우 다급해졌어.

와 아

꺄아

뜨아~

행주 대첩에서 패한 일본군은 **강화 회담**을 제안했지만 실패했어.

이제 그만 싸워요.

자기들이 먼저 쳐들어와 놓고서는! 끝까지 싸우자!

도요토미 히데요시가 사망하고 일본군이 물러나면서 7년간의 긴 전쟁이 끝이 났지.

으~ 분하다!

이순신과 관군, 의병 등이 힘을 합해 임진왜란을 극복했지.

와아

우리 조상님들 멋져~

용어 체크

행주 대첩

임진왜란 때 권율이 행주산성에서 일본군을 크게 물리친 싸움

예 권율은 ❶ (   ) 에서 큰 승리를 거뒀다.

강화 회담

싸우던 두 편이 싸움을 그치고 어떻게 평화로운 상태를 만들지 토의하는 일

예 일본군과의 ❷ (   ) 은 실패했고, 일본군은 다시 침입했다.

정답 ❶ 행주 대첩 ❷ 강화 회담

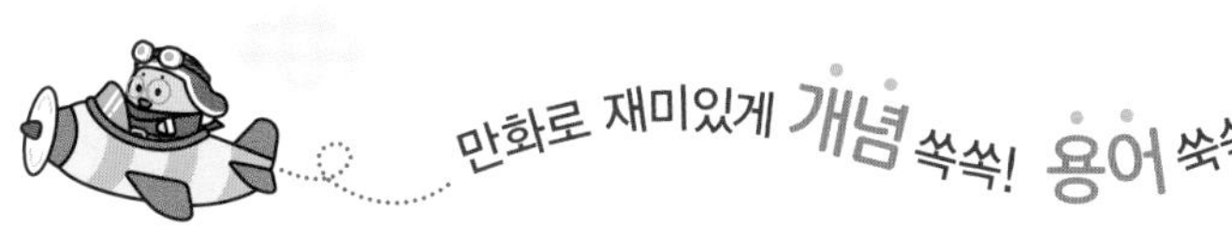

전쟁에 휘말리지 않기 위한 광해군의 선택은?

중립 외교? 뭐지? 이 심오하고 어려운 단어는!

임진왜란 이후 명은 국력이 약해졌어. 이 틈을 타 여진이 후금을 세우고 명을 위협했어.

이에 명은 조선에 군사 지원을 요청했지.

광해군은 중립 외교를 펼치며 전쟁에 휘말리지 않으려 했어.

전쟁은 더 이상 안 돼!

광해군은 국제 정세를 보는 눈이 있었구나!

하지만 중립 외교 정책을 비판한 세력이 광해군을 쫓아내고 명을 가까이 했어.

끄응

그래서 후금이 조선을 침략했구나.

간식 준비했다. 먹고 하렴.

예~

잘 먹겠습니다.

초콜릿 빵은 내가 먹을게. 넌 딸기 빵 먹어.

내가 초콜릿 빵 먹을래! 앵드론, 너는 어떻게 생각해?

중립 외교란 참 어렵군. 조상들의 고민이 이해가 간다.

용어 체크

중립 외교

한 나라에 치우치지 않고 각 나라에 같은 중요도를 두는 외교

예 광해군은 약해진 명과 성장한 후금 사이에서 신중한 ❶ ______ 를 펼쳤다.

후금

1616년에 여진족의 우두머리인 누르하치가 세운 나라

예 나라 이름을 청으로 고친 ❷ ______ 은 조선에 임금과 신하의 관계를 요구했다.

정답 ❶ 중립 외교 ❷ 후금

4일 개념 익히기

개념 동영상

1 임진왜란의 전개와 극복 과정을 알아볼까?

일본을 통일한 도요토미 히데요시는 조선과 명을 정복하려고 쳐들어왔음.

일본군은 계속 승리하며 한양으로 향했고, 선조는 의주까지 피란했음.

학익진 전법은 학이 날개를 펼친 듯한 형태로 전선을 배치해 적을 공격하는 방법이야.

▲ 학익진 전법

이순신의 활약

물자 보급을 할 수가 없잖아.
남해
여기는 못 지나가!

한산도 대첩에서 학익진 전법으로 일본 수군을 크게 무찔렀음.

곽재우는 자신의 재산으로 의병을 모아 일본군과 싸웠어.

행주 대첩

권율은 행주산성에서 관군, 승병 등과 힘을 합해 승리했음.

의병의 활약

양반에서 천민에 이르기까지 다양하게 의병에 참여했음.

일본은 강화 회담을 제안했으나 실패하자 다시 침략했음(정유재란).

이순신이 명량 대첩에서 크게 승리했고 일본군은 철수했음.

이순신과 관군, 곽재우를 비롯한 전국의 의병이 힘을 합해 ❶(일본 / 청)의 침입을 극복했습니다.

2 병자호란에 대해 살펴볼까?

광해군은 명이 쇠퇴하고 후금이 성장하는 상황에서 신중한 **중립 외교**를 펼쳤음.

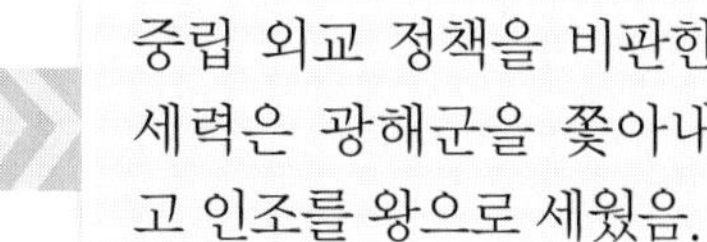

중립 외교 정책을 비판한 세력은 광해군을 쫓아내고 인조를 왕으로 세웠음.

인조가 명을 가까이 하고 후금을 멀리하자 후금이 쳐들어왔음(정묘호란).

조선과 후금이 **형제 관계**를 맺는다는 조건으로 전쟁을 끝냈음.

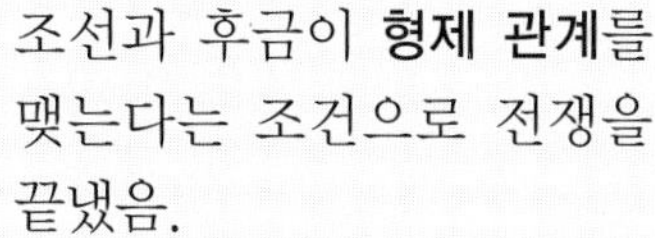

후금이 청으로 나라 이름을 바꾸고 조선에 임금과 신하의 관계를 요구하며 다시 침입했음(병자호란).

남한산성은 지형이 험준해서 적의 공격을 방어하는 데 유리했어.
강화도는 함락되었다.
항복할 수밖에…….
인조
남한산성

인조는 남한산성으로 피신해 싸웠으나 강화도가 함락되자 청 태종에 항복했음.

조선과 청은 **신하**와 **임금**의 관계를 맺었고, 소현 세자와 봉림 대군 등이 청에 인질로 끌려갔음.

청의 침입으로 조선은 청과 ❷(신하 / 친구)와 임금의 관계를 맺었습니다.

정답 ❶ 일본 ❷ 신하

개념 체크

정답과 풀이 6쪽

1 한산도 대첩에서 ☐☐☐은 일본 수군을 크게 물리쳤습니다.

2 권율은 ☐☐☐☐에서 일본군을 물리치고 승리했습니다.

3 소현 세자는 ☐☐☐☐ 이후 청에 인질로 끌려갔습니다.

보기
- 이순신
- 김유신
- 행주산성
- 남한산성
- 임진왜란
- 병자호란

4일 개념 확인하기

정답과 풀이 6쪽

1 일본을 통일한 도요토미 히데요시가 임진왜란을 일으킨 까닭은 무엇입니까? (　　　　)

① 송과 교류하기 위해서
② 강동 6주를 돌려받기 위해서
③ 조선과 명을 정복하기 위해서
④ 조선과 형제 관계를 맺기 위해서
⑤ 조선에 유교 문화를 전해 주기 위해서

2 다음 임진왜란 해전도와 관련 있는 인물을 보기 에서 찾아 쓰시오.

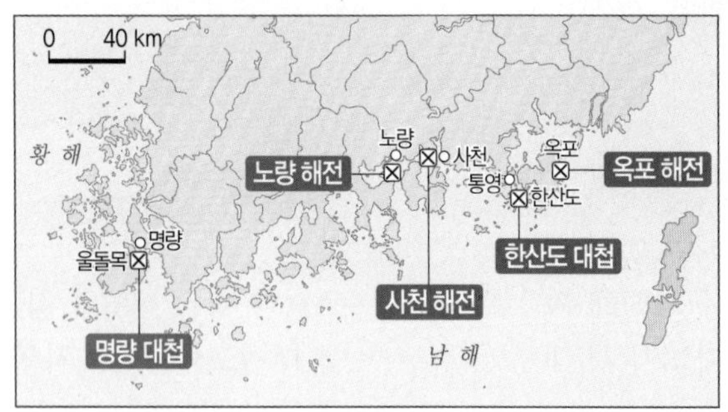

보기
- 김춘추
- 이순신
- 곽재우
- 정몽주

(　　　　　　　　)

3 임진왜란 때 다음 인물이 활약한 내용을 알맞게 선으로 이으시오.

(1) 권율 •　　　　• ㉠ 행주산성에서 관군, 승병 등과 힘을 합해 일본군을 물리쳤음.

(2) 곽재우 •　　　　• ㉡ 자신의 재산으로 의병을 모아 여러 전투에서 일본군과 싸워 이겼음.

4 다음에서 설명하는 전쟁은 무엇입니까? (　　　　　)

- 인조가 명을 가까이 하고 후금을 멀리하자 후금이 쳐들어왔습니다.
- 조선과 후금이 형제 관계를 맺는다는 조건으로 전쟁을 끝냈습니다.

① 임진왜란　② 병자호란　③ 정묘호란
④ 행주 대첩　⑤ 한산도 대첩

5 병자호란의 결과로 알맞은 것을 두 가지 고르시오. (　　　,　　　)

① 광해군이 쫓겨났다.
② 지방에서 호족이 등장했다.
③ 도요토미 히데요시가 조선에 쳐들어왔다.
④ 조선과 청은 신하와 임금의 관계를 맺었다.
⑤ 소현 세자와 봉림 대군이 청에 인질로 끌려갔다.

똑똑한 하루 퀴즈

6 명과 후금 사이에서 중립 외교를 펼친 조선의 왕을 고른 어린이를 쓰세요.

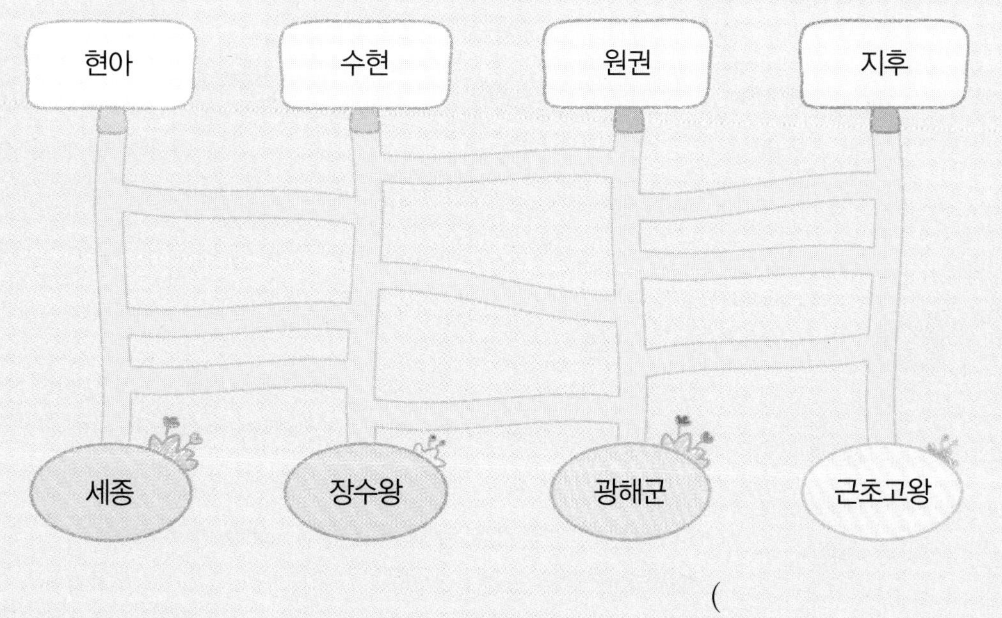

(　　　　　　　　　　)

5일 2주 마무리하기 핵심

1 고려의 건국과 후삼국 통일

견훤, 궁예, 왕건은 호족이었어.

신라 말 견훤이 후백제를, 궁예가 후고구려를 세웠음. ➡ 왕건이 궁예를 몰아내고 고려를 건국했음. ➡ 고려는 신라가 항복한 후 후백제를 멸망시키고 후삼국을 통일했음.

2 외세의 침입과 고려의 대응

거란의 침입	• 1차 침입 : 서희의 담판, 강동 6주 획득 • 3차 침입 : 강감찬의 귀주 대첩
몽골의 침입	• 도읍을 강화도로 옮기고 몽골과 싸웠음. • 삼별초 : 몽골에 마지막까지 대항했음. • 강화를 맺고 몽골의 간섭을 받게 되었음.

끝까지 버텨라!
삼별초
이제 그만 항복해!
예! 장군!
진도

3 고려의 기술과 문화

상감 청자

상감 기법을 이용하여 무늬를 넣은 청자

합천 해인사 대장경판

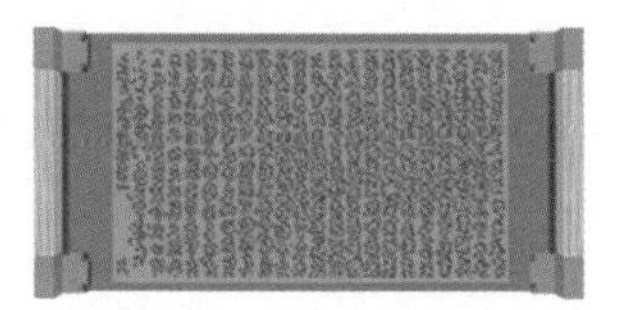

글자가 고르고 틀린 글자가 거의 없음.

『직지심체요절』

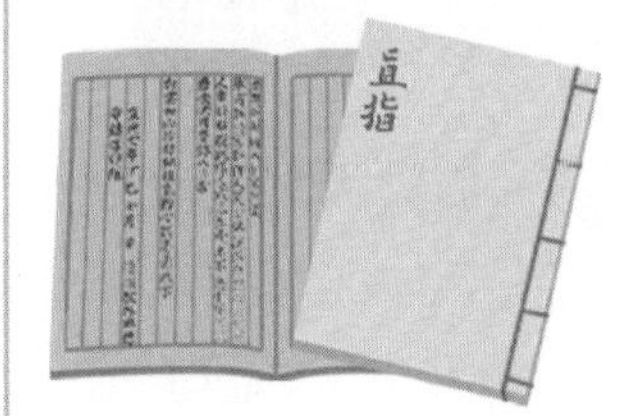

오늘날 전해지는 금속 활자 인쇄본 중 가장 오래된 것

4 조선의 건국과 발전

이성계를 중심으로 한 세력이 조선을 세웠어.

건국 과정	신진 사대부와 신흥 무인 세력의 등장 ➡ 위화도 회군 ➡ 토지 제도의 개혁 ➡ 고려 개혁파(정몽주) 제거 ➡ 조선 건국
세종 대 발전	• 측우기, 혼천의, 앙부일구, 자격루 등 과학 기구 발명 • 훈민정음 창제, 4군 6진 개척

5 조선의 신분 제도

양반	중인	상민	천민

관리가 되었음.	통역 등을 담당했음.	농사를 지었음.	허드렛일을 했음.

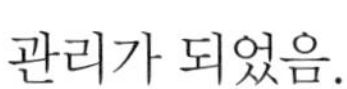
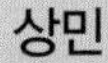

6 외적의 침입과 조선의 대응

임진왜란 (1592년)	• 일본이 조선과 명을 정복하기 위해 침략했음. • 이순신과 수군의 활약, 의병의 활약, 행주 대첩 등으로 승리했음.
병자호란 (1636년)	• 임금과 신하의 관계를 요구하며 청이 침입했음. • 조선과 청은 신하와 임금의 관계를 맺었음.

한산도 대첩에서 학익진 전법이 성공한 이유는 뭘까?

학익진 전법이 성공하려면 아군이 탄 배와 적군이 탄 배 사이의 거리를 정확히 파악해 대포의 명중률을 높여야 해.

이순신은 수학을 이용해 적군의 배와의 거리를 정확히 파악했어. 그리고 조총의 사정 거리인 50m 밖에서 대포로 적군의 배를 정확히 명중시켰지.

아하! 그래서 이순신은 크게 승리할 수 있었구나!

5일 2주 마무리하기

1일 고려의 건국과 외세의 침입

1 후삼국에 대한 설명으로 알맞은 것은 어느 것입니까? (　　　　)

① 궁예가 고려를 세웠다.
② 왕건이 후백제를 세웠다.
③ 견훤이 후고구려를 세웠다.
④ 왕건이 후삼국을 통일했다.
⑤ 우리나라 최초의 국가이다.

2 다음에서 설명하는 전쟁은 무엇입니까? (　　　　)

> 강감찬을 비롯한 고려군은 돌아가는 거란군을 귀주에서 크게 물리쳤습니다.

① 임진왜란　② 병자호란　③ 정묘호란
④ 귀주 대첩　⑤ 한산도 대첩

3 다음 중 몽골의 고려 침입과 관련된 사건으로 알맞은 것에 ○표를 하시오.

(1)

끝까지 버텨라!
삼별초
이제 그만 항복해!
예! 장군!
진도

▲ 삼별초의 항쟁

(　　　　　　　　　　)

(2)

왜 바다를 건너 송과 교류하는가?
여진이 길을 막고 있어 거란으로 가는 것이 어렵다.

▲ 서희의 담판

(　　　　　　　　　　)

정답과 풀이 7쪽

빠른 정답 보기

2일 고려의 문화유산

4 고려청자에 대한 설명으로 알맞지 않은 것은 어느 것입니까? (　　　　)

① 왕실과 귀족들이 주로 사용했다.
② 만들기가 어렵고 가치가 높았다.
③ 주전자, 의자, 베개 등 다양한 용도로 쓰였다.
④ 상감 청자를 만드는 기술은 중국에서 들어왔다.
⑤ 청자를 만들려면 가마를 만드는 기술, 불을 다루는 기술이 발달해야 했다.

5 다음 문화유산의 우수성은 무엇인지 쓰시오.

▲ 합천 해인사 대장경판

____

____

6 다음에서 설명하는 문화유산은 무엇인지 쓰시오.

• 오늘날 전해지는 금속 활자 인쇄본 중 가장 오래된 것입니다.
• 유네스코 세계 기록 유산으로 등재되었습니다.

(　　　　　　　　　　)

2 주

3일 조선의 건국과 사회 모습

7 조선의 건국 과정에 대한 설명으로 알맞은 것은 어느 것입니까? (　　　　)

① 개경을 도읍으로 정했다.
② 정몽주는 조선 건국을 찬성했다.
③ 호족이 신흥 무인 세력과 손을 잡았다.
④ 이성계를 중심으로 한 세력이 조선을 세웠다.
⑤ 최영이 위화도에서 군대를 되돌려 권력을 잡았다.

8 세종의 업적으로 알맞지 않은 것을 두 가지 고르시오. (　　　,　　　)

① 4군 6진을 개척했다.
② 팔만대장경판을 만들고 불교를 장려했다.
③ 조선을 건국하고 한양을 도읍으로 정했다.
④ 측우기, 혼천의와 같은 과학 기구를 만들었다.
⑤ 글을 몰라 어려움을 겪는 백성들을 위해 우리글을 만들었다.

9 다음과 같은 생활을 했던 조선 시대 신분은 무엇인지 기호를 쓰시오.

> 대부분 농사를 지으며 나라에 큰 공사나 일이 있을 때 불려 가기도 했습니다.

㉠ 
▲ 양반

㉡ 
▲ 중인

㉢ 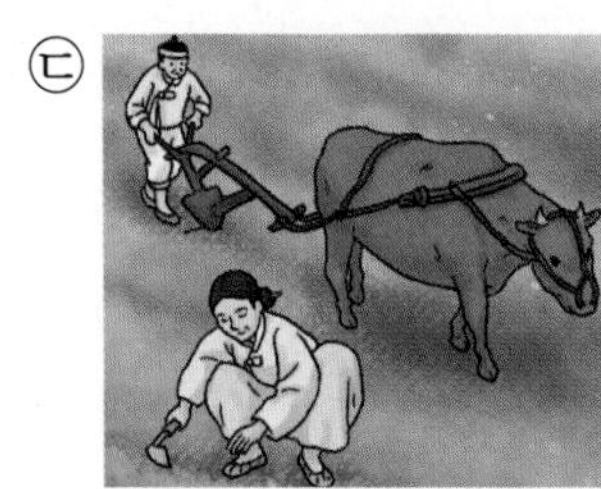
▲ 상민

(　　　　　　　　)

4일 임진왜란과 병자호란

10 조선이 임진왜란을 극복할 수 있었던 까닭을 두 가지 고르시오. (　　,　　)

① 삼별초의 항쟁
② 팔만대장경의 제작
③ 강감찬의 뛰어난 전술
④ 이순신과 조선 수군의 활약
⑤ 곽재우를 비롯한 백성들의 의병 활동

11 병자호란에 대한 설명으로 알맞은 것은 어느 것입니까? (　　　)

① 청이 형제의 관계를 요구하며 침입했다.
② 일본을 통일한 도요토미 히데요시가 쳐들어왔다.
③ 인조는 행주산성으로 피신하여 청에 맞서 싸웠다.
④ 광해군이 중립 외교 정책을 펼치면서 전쟁은 끝났다.
⑤ 전쟁이 끝나고 조선과 청은 신하와 임금의 관계를 맺었다.

똑똑한 하루 퀴즈

12 임진왜란과 관련이 있는 나무판만 밟아 강을 무사히 건너 보세요.

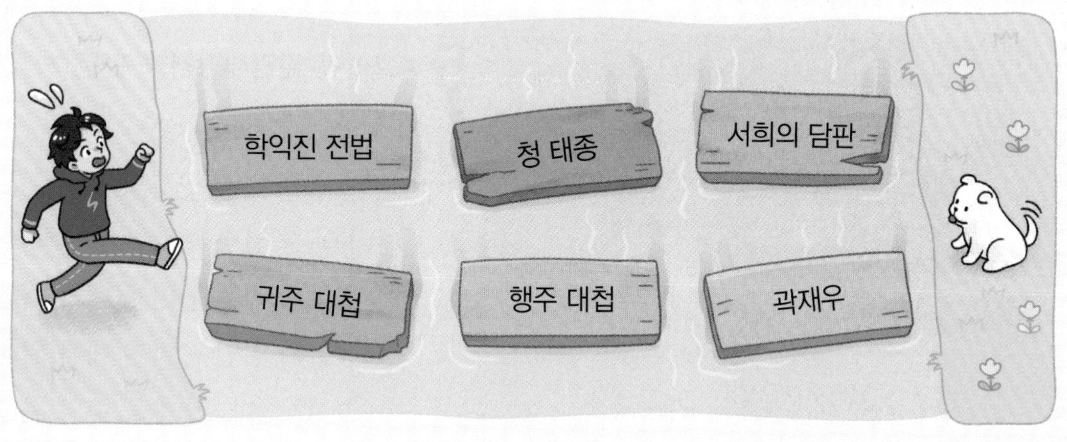

맞은 개수 /10개

1 다음 지도를 보고 알 수 있는 내용으로 알맞지 <u>않은</u> 것은 어느 것입니까? (　　　　)

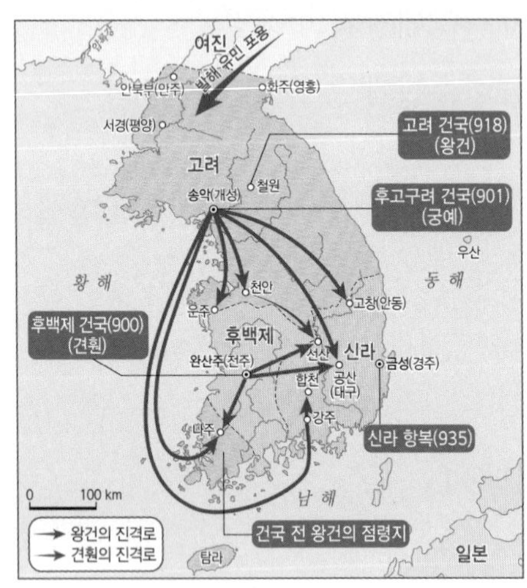

▲ 고려의 건국과 후삼국의 통일

① 왕건이 고려를 건국했다.
② 견훤이 후백제를 건국했다.
③ 신라가 후삼국을 통일했다.
④ 궁예가 후고구려를 건국했다.
⑤ 고려는 발해 유민을 받아들였다.

2 다음과 같이 거란의 장수 소손녕과 담판을 벌인 고려의 인물은 누구인지 쓰시오.

왜 바다를 건너 송과 교류하는가?
여진이 길을 막고 있어 거란으로 가는 것이 어렵다.

(　　　　　　　　)

3 몽골의 침입과 고려의 대응에 대해 바르게 알고 있는 어린이를 쓰시오.

> 지후 : 삼별초의 항쟁으로 몽골을 물리쳤어.
> 다빈 : 강화도로 도읍을 옮기고 몽골과 싸웠어.
> 서하 : 오랜 전쟁으로 불국사 등의 문화재가 불탔어.

(　　　　　　　　)

4 고려의 문화유산에 대한 설명으로 알맞지 <u>않은</u> 것의 기호를 쓰시오.

> ㉠ 팔만대장경판 : 글자가 고르고 틀린 글자도 거의 없습니다.
> ㉡ 『직지심체요절』 : 오늘날 전해지는 목판 인쇄물 중 가장 오래된 것입니다.
> ㉢ 상감 청자 : 표면에 무늬를 새기고, 거기에 다른 흙을 메워 만들었습니다.

(　　　　　　　　)

5 고려가 팔만대장경을 만든 까닭은 무엇입니까? (　　　　)

① 불교를 억압하기 위해서
② 유교를 널리 보급하기 위해서
③ 일본의 침입을 이겨 내기 위해서
④ 몽골의 침입을 이겨 내기 위해서
⑤ 농사짓는 데 도움을 주기 위해서

6 다음 조선의 건국 과정에서 ㉠에 들어갈 알맞은 내용을 두 가지 고르시오. (　　,　　)

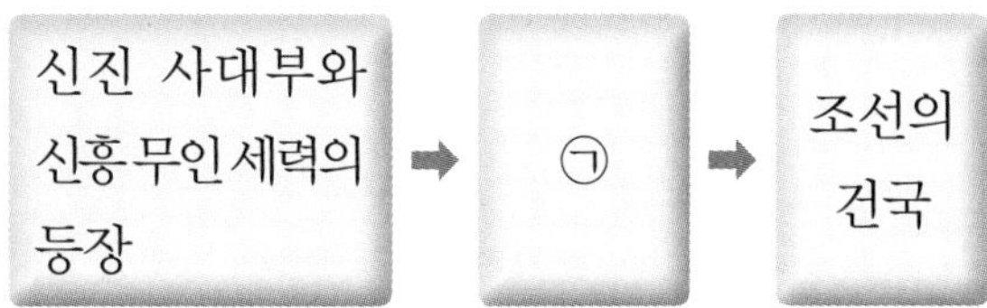

① 위화도 회군
② 몽골의 침입
③ 정몽주 제거
④ 4군 6진 개척
⑤ 훈민정음 창제

7 다음과 같은 업적을 이룬 조선 시대의 왕을 바르게 쓴 어린이는 누구입니까? (　　　)

• 측우기 발명　　• 훈민정음 창제

8 다음과 같은 생활을 했던 조선 시대의 신분을 보기에서 골라 쓰시오.

궁궐에서 그림을 그리거나 외국 사신을 맞이하며 통역을 담당했습니다.

보기
• 양반　• 중인　• 상민　• 천민

(　　　　　　)

9 다음 전법으로 승리를 거둔 전투는 어느 것입니까? (　　　)

▲ 학익진 전법

① 옥포 해전　② 노량 해전
③ 사천 해전　④ 명량 대첩
⑤ 한산도 대첩

10 다음 전쟁의 결과는 무엇인지 알맞게 선으로 연결하시오.

(1) 정묘호란 •　　• ㉠ 조선과 후금이 형제 관계를 맺음.

(2) 병자호란 •　　• ㉡ 조선과 청이 신하와 임금의 관계를 맺음.

창의·융합·코딩

2주 특강 생활 속 사회

조선의 도읍인 한양의 건축물에 담겨 있는 유교 이념을 알아봅니다.

한양의 건축물에 담긴 유교 이념

와! 경복궁에 오니 조선 시대에 온 것 같아.

임금이 덕으로 나라를 다스려 만 년 동안 큰 복을 누리라는 뜻으로 경복궁이라고 했어.

경복궁뿐 아니라 한양의 사대문도 유교에서 강조하는 덕목인 인의예지신에서 이름을 땄어.

동쪽 문인 흥인지문은 인자함을 일으켜야 한다는 의미이고,

서쪽 문인 돈의문은 옳음을 돈독히 한다는 의미를 담았어. 아쉽게도 돈의문은 현재 남아 있지 않아.

남쪽 문인 숭례문은 예의를 존중한다는 의미를 담았네.

숙정문은 북쪽 문으로 지혜로움의 의미를 담고 있고.

유교에서 강조하는 덕목들을 왜 건축물에 담았을까?

백성들이 유교의 가르침에 따라 살아야 한다고 생각했기 때문이지.

아하! 그렇게 깊은 뜻이!

1 조선의 도읍 한양에 관한 ○× 퀴즈를 풀면서 미로를 빠져 나가 보세요.

출발

한양은 조선의 도읍이었음.

교통이 편리하고 나라 중앙에 있음.

불교에서 강조하는 덕목을 담아 지었음.

경복궁은 한양의 동쪽 문임.

숭례문은 예의를 존중한다는 의미임.

숙정문은 한양의 북쪽 문임.

돈의문은 옳음을 돈독히 한다는 의미임.

도착

2주 특강 사고 쑥쑥

금속 활자를 살펴보며, 고려의 기술과 문화를 알아봅니다.

2 다음은 금속 활자의 제작과 인쇄 과정이에요. 다음 과정과 관련된 고려의 문화유산은 무엇인지 기호를 쓰세요.

㉠
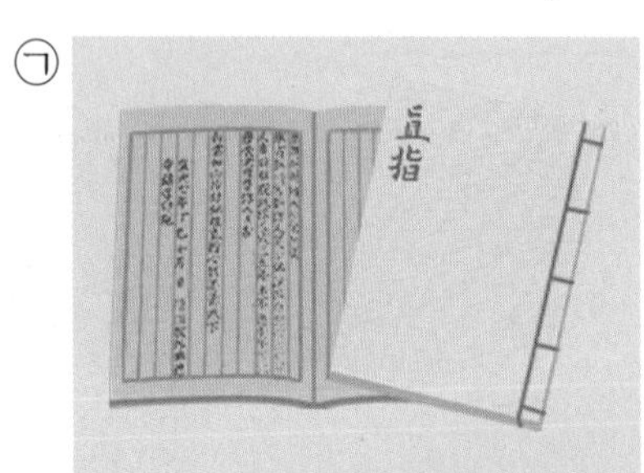
▲ 『직지심체요절』

㉡
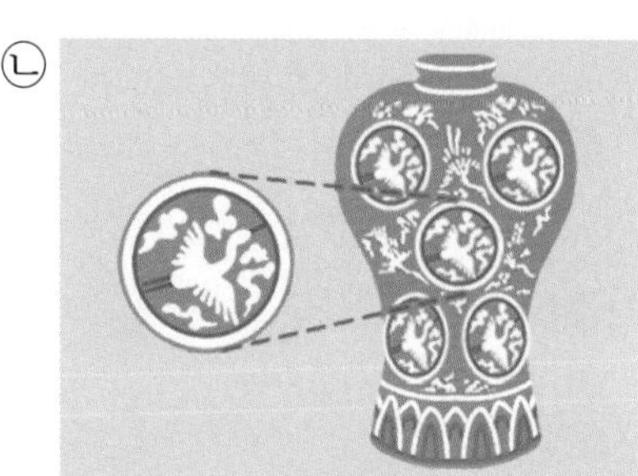
▲ 상감 청자

㉢

▲ 합천 해인사 대장경판

㉣
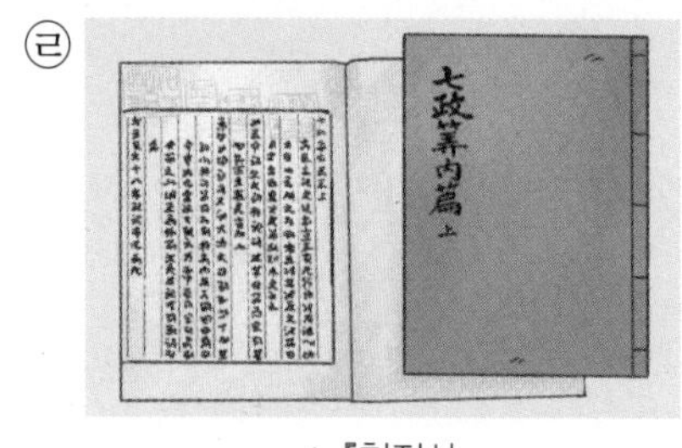
▲ 『칠정산』

( )

세종 대에 이루어 낸 발전은 무엇이 있는지 살펴봅니다.

3 바람이와 산들이가 세종의 업적에 대해 이야기하고 있어요.

(1) 위 밑줄 친 자격루로 알맞은 것에 ○표를 하세요.

(2) 위 □ 안에 들어갈 알맞은 내용이 적힌 낱말 카드의 기호를 쓰세요.

( )

2주

논리 탄탄

인터넷 검색 알고리즘에 따라 거란의 침입에 대한 고려의 대응을 알아봅니다.

4 바람이는 거란의 고려 침입과 관련된 사건을 인터넷으로 조사하고 있어요. 인터넷 검색 결과가 참으로 나왔을 때 ㉠에 들어갈 알맞은 내용을 보기에서 찾아 쓰세요.

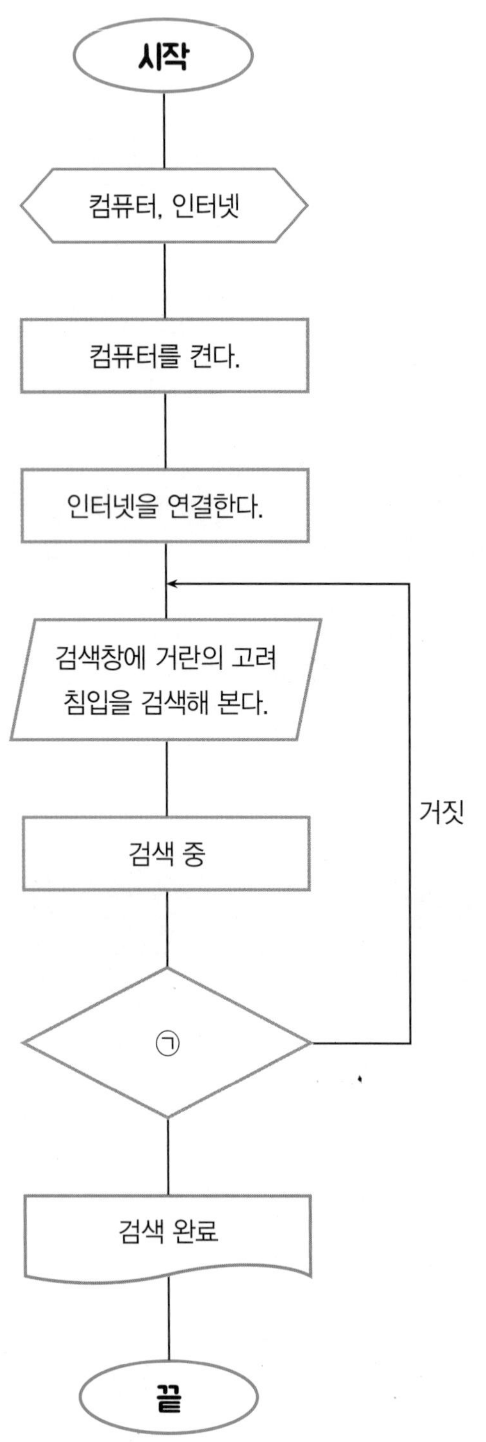

▲ 임진왜란

▲ 귀주 대첩

▲ 삼별초의 항쟁

(　　　　　　　　)

5 바람이와 산들이가 산성으로 답사를 갔어요. 상자를 열 수 있는 비밀번호를 맞혀 보세요.

▶ 다음 □ 안에 들어갈 글자 카드에 적인 숫자를 순서대로 누르세요.

권율은 □□□□에서 일본군을 물리치고 큰 승리를 거두었습니다.

성 1	행 2	주 3	한 4	가 5	산 6

비밀번호

○ ○ ○ ○

3주 조선 사회의 변동

3주에는 무엇을 공부할까? ❶

▲ 탕평비

붕당과 상관없이
인재를 골고루 뽑아
정치를 하겠다는
내용이 담겨 있어.

▲ 옛날 우정총국

조선 후기의 사회 변동

- 탕평책
- 갑신정변
- 외세의 침략
  - 병인양요
  - 신미양요
  - 강화도 조약
- 동학 농민 운동

▲ 강화도 조약의 체결

강화도 조약은
조선이 외국과
최초로 맺은
조약이야.

▲ 동학 농민 운동

정치적으로, 외교적으로 혼란했던 상황에서도 새로운 사회를 향한 움직임을 멈추지 않았던 사람들의 노력을 살펴보자!

3주 3주에는 무엇을 공부할까? ❷

탕평책

蕩 平 策

씻어 낼 탕 평평할 평 꾀 책

뜻 **붕당과 상관없이 각 당파에서 고르게 인재를 등용하던 정책**

예 영조는 혼란스러웠던 정치를 안정시키고자 처음으로 **탕평책**을 실시했다.

실학

實 學

열매 실 배울 학

뜻 **조선 후기에 등장한 실생활의 유익을 목표로 한 학문**

예 기존의 학문이 사회 문제를 해결하지 못하자 현실 문제에 관심을 기울인 **실학**이 등장했다.

경제적 여유가 생긴 사람들이 늘어나면서 서민들도 문화 생활을 즐기게 됐어.

판소리

판소리에서 북을 치는 사람

뜻 **한 명의 소리꾼이 고수의 장단에 맞추어 노래, 말, 몸짓을 섞어가며 이야기를 들려주는 공연**

예 **판소리**에는 「춘향가」, 「심청가」, 「흥보가」, 「수궁가」, 「적벽가」가 전해 내려온다.

어허이~
판소리는 관객도 참여할 수 있다며? 나도 나가서 춤을 춰 볼까?
오늘은 우선 관람만 하는 게 어떨까?

조선 후기에 사회가 점점 변하면서 많은 사건들이 일어났어. 그중에서 강화도 조약 체결, 갑신정변 같은 사건들을 꼭 기억해.

강화도 조약

뜻 **1876년 강화도에서 조선과 일본이 체결한 조약**

예 **강화도 조약** 이후 조선은 서양의 다른 나라들과도 조약을 맺고 교류를 시작했다.

개 화

開 化

열릴 개 될 화

활짝!
우리도
가보자.
조선이
나라의 문을
열었다며?

뜻 **다른 나라의 더 발전된 문화나 제도를 받아들이는 것**

예 개항 이후 사람들은 조선의 **개화**에 대해 다양한 의견을 갖게 되었다.

새로운 나라를 원하는 사람들이 많아졌어.

갑신정변

뜻 **1884년에 새로운 정부를 위해 급진 개화파가 일으킨 정변**

예 **갑신정변**은 청군의 갑작스런 개입으로 3일 만에 실패로 끝났다.

동학 농민 운동

뜻 **1894년에 전봉준을 비롯한 농민들이 일으킨 봉기**

예 전봉준은 **동학 농민 운동**을 이끌었던 인물로 녹두 장군이라 불렸다.

3주

새로운 사회를 향한 움직임

규장각에서 전해 내려오는 가보를 찾아서!

우리 할머니 댁에 가보가 있어! 그런데 어디에 뒀는지 모르신대.
슬깃
이거다!
우리 조상께서는 붕당 정치가 싫어서 시골로 내려오셨어.
조선 후기에는 붕당 간에 의견이 자주 충돌해서 정치가 혼란스러웠잖아.
조상께서 시골로 오시기 전에는 규장각에서 일하셨던 모양이야.
규장각이라면 정조가 지은 왕실 도서관 맞지?
응! 규장각에서 일하시면서 취미로는 책을 수집하시기도 했는데 그중 일부가 우리 집 가보가 됐어.
두리번
두리번
할머니가 준 지도에 의하면 이 근처에 있을 거야.
와
얼른 찾아보자! 과제를 수행하는 데 도움이 될 거야.
영차
영차
큭큭
이제야 제대로 보물 탐색을 시작하는군!

용어 체크

붕당

학문이나 정치적으로 생각을 같이하는 사람들의 정치 집단

예 조선 후기 ❶ [　　] 간에 의견 대립으로 정치가 혼란스러워졌다.

규장각

조선 시대에 학문과 정치를 연구하던 왕실의 도서관

예 정조는 ❷ [　　] 에서 학자들과 나랏일을 의논했다.

정답 ❶ 붕당 ❷ 규장각

서민들이 즐겼던 문화에는 무엇이 있을까?

용어 체크

서민

조선 시대에 아무 벼슬이나 신분적 특권을 갖지 못한 사람

예 다양한 ❶ ______ 문화를 살펴보면 당시 사람들의 생활 모습과 생각들을 알 수 있다.

풍속화

사람들의 생활 모습을 담은 그림

예 김홍도나 신윤복 같은 화가들은 ❷ ______ 에 서민들의 모습을 담았다.

정답 ❶ 서민 ❷ 풍속화

1일 개념 익히기

1 영조와 정조가 펼친 개혁 정책은 무엇일까?

붕당과 상관없이 인재를 고루 뽑는 탕평책을 펼쳤어요.

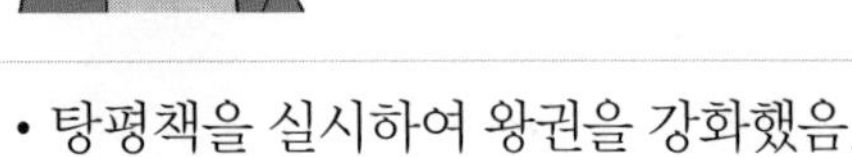

영조 — 탕평책 — 정조

할아버지인 영조의 탕평책을 이어받았어요.

영조

- 탕평책을 실시하여 왕권을 강화했음.
- 세금을 줄이고 백성의 생활을 안정시켰음.
- 많은 책을 편찬해 학문과 제도를 정비했음.

두루 사귀면서 편을 가르지 않는 것이 군자의 공정한 마음이요, 편을 가르고 두루 사귀지 않는 것은 소인의 사사로운 마음이다.

◀ 탕평비

정조

- 왕실 도서관인 규장각을 설치했음.
- 백성들의 자유로운 경제 활동을 도왔음.
- 수원 화성을 건설했음.

▲ 수원 화성

✔ 영조와 정조는 ❶(탕평책 / 성리학)을 통해 인재를 골고루 뽑고 정치를 안정시키고자 했습니다.

2 조선 후기 실학자들의 주장은 무엇이었을까?

사회 문제를 해결하기 위해 실학이라는 새로운 학문이 등장했어.

농업

토지 제도를 바꾸고 과학적인 농사 기술을 알렸음.

상공업

청의 문물을 받아들여 백성의 삶을 풍요롭게 하고자 했음.

우리의 것 연구

우리나라의 고유한 것을 중요하게 생각했음.

✔ 현실 문제에 관심을 두어 백성의 생활을 안정시키고 나라의 힘을 기를 것을 주장했습니다.

3 조선 후기에 등장한 서민 문화에는 무엇이 있을까?

판소리

즉흥적으로 내용을 빼거나 더할 수 있고 관객도 참여할 수 있어서 백성에게 큰 호응을 얻었음.

한글 소설

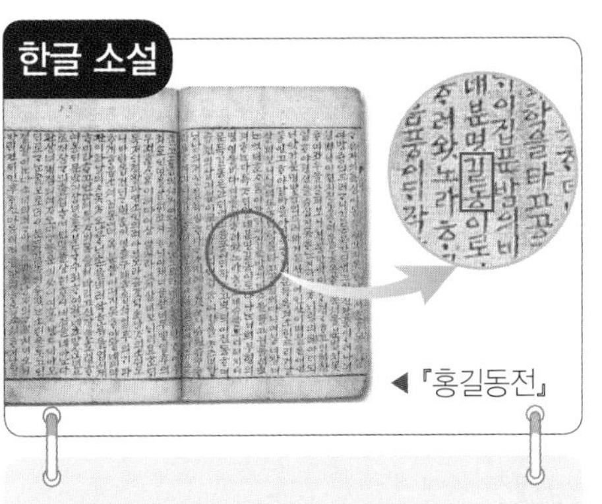

◀『홍길동전』

한글을 익힌 사람들이 늘어나면서 널리 보급되었음.

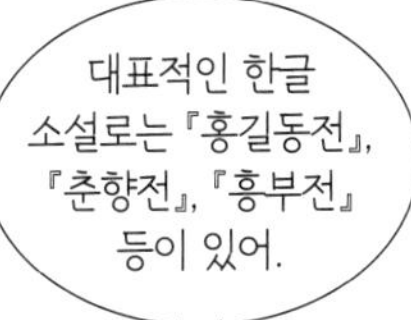

대표적인 한글 소설로는『홍길동전』, 『춘향전』,『흥부전』 등이 있어.

탈놀이

백성의 생각이나 감정을 솔직하게 표현해 인기가 많았음.

풍속화

당시 사람들의 생활 모습을 실감나게 담고 있는 그림임.

경제적인 여유가 생긴 사람들은 **판소리**, ❷(한문 / 한글) **소설**, **풍속화**, **탈놀이** 등을 즐겼습니다.

정답 ❶ 탕평책 ❷ 한글

개념 체크

정답과 풀이 9쪽

1 정조는 □□□을 설치해 학자들에게 학문을 연구하게 했습니다.

2 실학자들은 □의 문물을 받아들여 백성의 삶을 풍요롭게 하고자 했습니다.

3 탈놀이는 □□의 생각이나 감정을 솔직하게 표현해 인기가 많았습니다.

보기
- 규장각
- 집현전
- 왜
- 청
- 백성
- 임금

1일

개념 확인하기

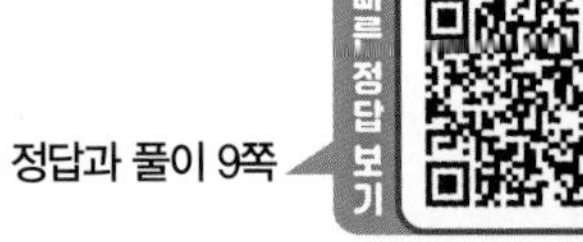

정답과 풀이 9쪽

1 다음에서 설명하는 조선 후기의 개혁 정책을 쓰시오.

- 영조가 처음으로 실시했습니다.
- 붕당과 상관없이 인재를 골고루 뽑는 정책입니다.
- 왕권을 강화하고 정치를 안정시키고자 실시한 정책입니다.

(　　　　　　　　)

2 실학자들이 주장한 것으로 알맞은 것에 ○표를 하시오.

(1) 우리의 고유한 것에는 관심을 둘 필요가 없습니다. (　　)

(2) 백성의 생활을 안정시키고 나라의 힘을 길러야 합니다. (　　)

3 다음 실학자들이 주장한 분야는 무엇인지 보기에서 찾아 쓰시오.

보기
- 농업
- 상업
- 공업

(　　　　　　　　)

4 오른쪽과 같이 당시 사람들의 생활 모습을 실감나게 그림으로 표현한 서민 문화는 무엇입니까? (　　　　)

① 판소리
② 탈놀이
③ 풍속화
④ 윷놀이
⑤ 한글 소설

5 오른쪽 서민 문화의 특징으로 알맞은 것은 어느 것입니까? (　　　)

▲ 판소리

① 한글로 된 소설이다.
② 관객은 참여할 수 없다.
③ 백성들에게 큰 호응을 얻었다.
④ 조선 전기에 유행했던 문화이다.
⑤ 중간에 내용을 빼거나 더할 수 없다.

집중 연습 문제 정조의 개혁 정책

6 정조 때 만들어진 것으로 알맞은 것에 ○표를 하시오.

(1)

▲ 측우기

(　　　　　　)

(2)

▲ 수원 화성

(　　　　　　)

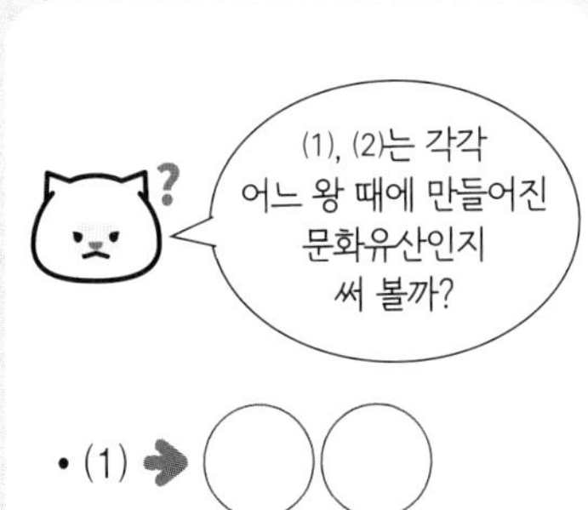

(1), (2)는 각각
어느 왕 때에 만들어진
문화유산인지
써 볼까?

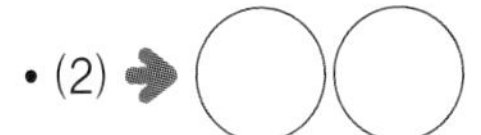

7 정조가 한 일로 알맞지 않은 것은 어느 것입니까? (　　　)

① 경복궁을 건설했다.
② 인재를 골고루 뽑았다.
③ 왕실의 도서관을 설치했다.
④ 영조의 탕평책을 이어받았다.
⑤ 백성이 자유롭게 경제 활동을 할 수 있도록 했다.

영조와 정조의
개혁 정책을 잘
구분하여 알아
두는 게 중요해.

2일 외세의 침입

세도 정치를 끝낸 사람은 누구일까?

이번 과제는 참 쉬워!
조선 후기 사극 영화 보고 감상문 쓰기야!
와
덩실 덩실

으아! 답답해! **세도 정치** 때문에 나라가 엉망이 됐네!
버럭
후
왕은 힘이 없고 정치도 부정부패 투성이야!

앗! 흥선 대원군이 세도 정치의 잘못된 점을 고쳤어! 속이 다 시원하네!
그리고 세금을 면제받고 부당하게 재산을 쌓던 **서원**을 없앴어.

잠깐! 서원은 원래 지방의 인재를 기르던 교육 기관이잖아! 그런데 왜 없앴지?
서원은 처음엔 좋은 역할을 했어. 하지만 조선 후기에 가서는 그 성격이 변해서 오히려 백성을 괴롭히는 일이 많았대.

THE END
영화광인 나한테 감상문은 식은 죽 먹기지!
너만 믿는다! 받아 적는 건 내가 할게!

배우 연기력 90점, 긴장감 70점, 줄거리는 80점!
슬슬
어? 뭔가 이상한데.
얘들아. 영화 평점을 매기는 게 아니고 영화에 대한 너희의 감상을 써야지!

용어 체크

세도 정치

왕실과 혼인 관계를 맺은 가문들이 국정을 독점하는 정치

예 조선 후기 ❶ [ ] 로 인해 나라가 혼란스러워졌다.

서원

조선 시대에 조상들의 제사를 지내고 학생들을 교육했던 기관

예 옛날의 ❷ [ ] 은 국가의 각종 부담에서 면제되었다.

▲ 도산 서원

정답 ❶ 세도 정치 ❷ 서원

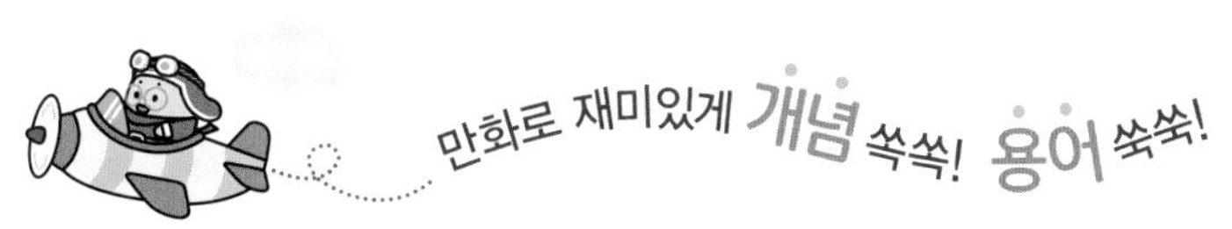

조선 후기 서양의 배들이 침입했던 까닭은 무엇일까?

얘들아, 안녕!

꺄아~

꺄악! 연예인이다!

이곳에서 프랑스와 싸웠던 병인양요와 미국과 싸웠던 신미양요를 배경으로 하는 사극을 찍고 있어.

두 전쟁의 공통점은 각 나라가 강화도를 침략하고, 조선에 **통상**을 요구했다는 거야!

우리 서로 교류를 하자.

끄응

그렇게 두 차례나 서양 세력과 싸웠어. 조선은 프랑스와 미국을 물리쳤지만 조선 역시 피해를 입었단다.

뭐? 교류하자면서 강화도는 왜 점령하는데?

스윽

그래서 **개항** 안 할 거야? 그럼 전쟁이다!

너희들도 엑스트라로 참여해 볼래?

네~

이 영상을 가보로 남길 거야!

싸아~

하하

3주

용어 체크

통상

나라들 사이에 물건 등을 사고파는 것 또는 그런 관계

예 서양 세력들은 ❶ ______ 을 요구하며 조선을 침략했다.

개항

항구를 개방해 외국 배의 출입을 허가하는 것

예 조선은 강화도에서 일본과 조약을 맺고 ❷ ______ 했다.

정답 ❶ 통상 ❷ 개항

2일 **개념** 익히기

개념 동영상

1 흥선 대원군은 어떤 정책을 펼쳤을까?

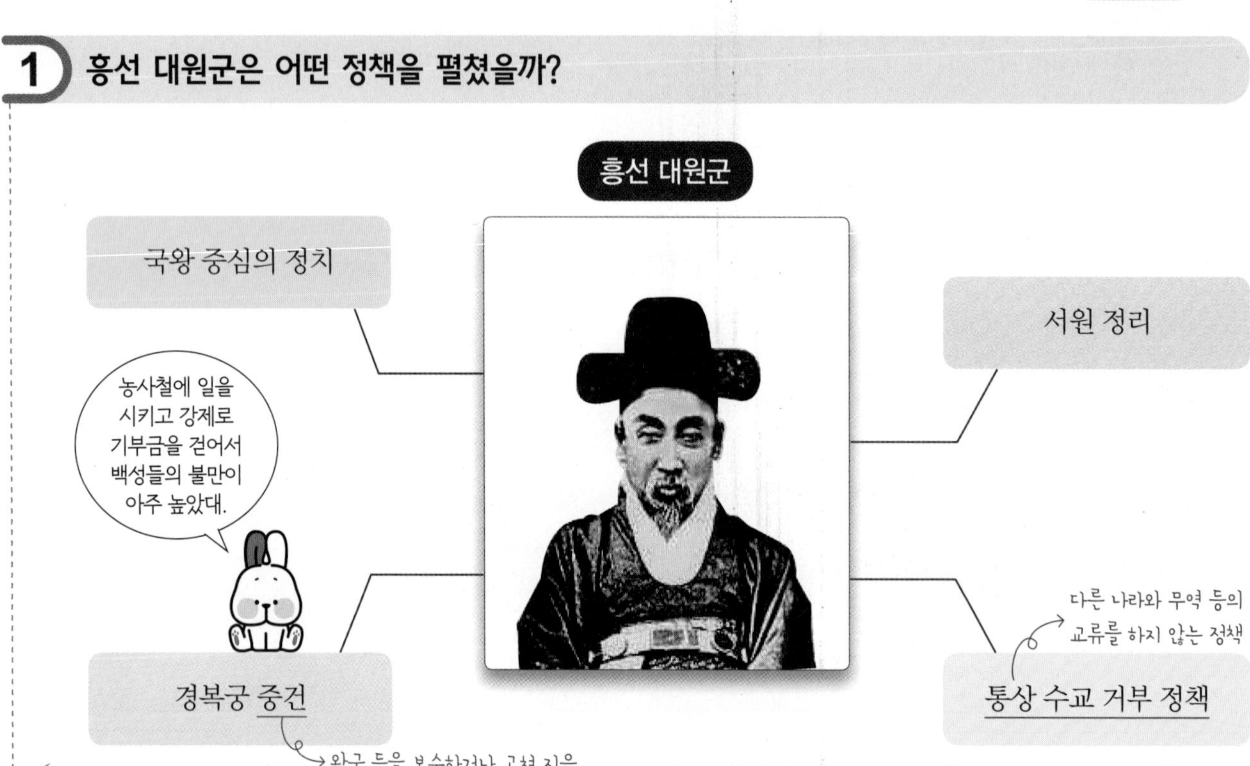
흥선 대원군
국왕 중심의 정치
서원 정리
농사철에 일을 시키고 강제로 기부금을 걷어서 백성들의 불만이 아주 높았대.
다른 나라와 무역 등의 교류를 하지 않는 정책
경복궁 중건
통상 수교 거부 정책
왕궁 등을 보수하거나 고쳐 지음.

세도 정치의 잘못된 점을 고치고 ❶(국왕 / 귀족) 중심으로 정치를 운영하기 위한 정책을 펼쳤습니다.

2 흥선 대원군은 외세의 침략에 어떻게 대응했을까?

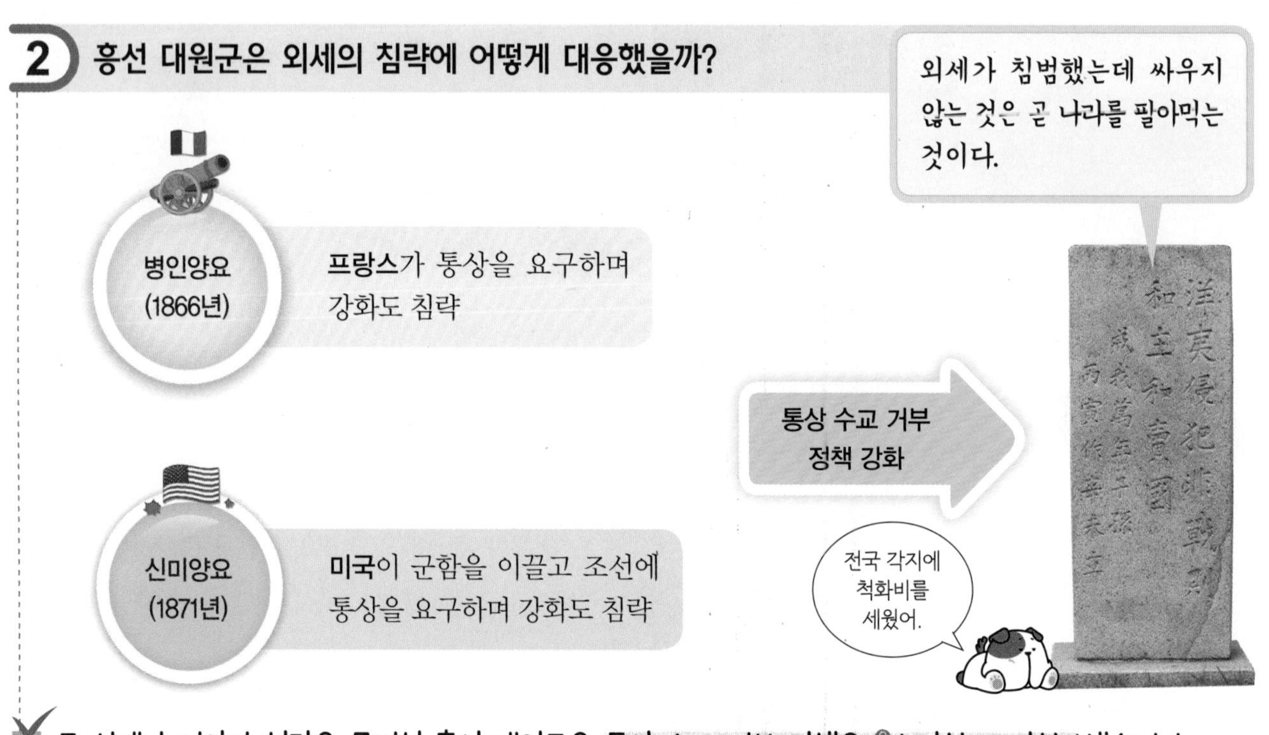
외세가 침범했는데 싸우지 않는 것은 곧 나라를 팔아먹는 것이다.
병인양요 (1866년)
프랑스가 통상을 요구하며 강화도 침략
신미양요 (1871년)
미국이 군함을 이끌고 조선에 통상을 요구하며 강화도 침략
통상 수교 거부 정책 강화
전국 각지에 척화비를 세웠어.

두 차례나 서양의 침략을 물리친 흥선 대원군은 통상 수교 거부 정책을 ❷(강화 / 약화)했습니다.

3 강화도 조약은 무엇일까?

원인

강화도에서 조선군이 허락 없이 다가오는 일본 군함 주변에 대포를 쏨. (**운요호 사건**, 1875년)
➡ 일본의 통상 요구

특징

외국과 맺은 최초의 **근대적 조약**이자 **불평등 조약**

강화도 조약(1876년)

▲ 강화도 조약의 체결

일본의 침략과
일본 군함의 접근을
더욱 쉽게 만들려는
뜻이 숨어 있어.

강화도 조약의 내용(일부)

- 조선은 자주적인 나라로 일본과 평등한 권리가 있다.
- 조선의 해안을 일본이 자유로이 측량하도록 허가한다.

1876년 우리나라가 외국과 맺은 최초의 근대적 조약이자 ❸(평등 / 불평등) 조약입니다.

정답 ❶ 국왕 ❷ 강화 ❸ 불평등

개념 체크

정답과 풀이 9쪽

1 흥선 대원군의 □□□ 중건 정책으로 백성들의 불만이 높아졌습니다.

2 흥선 대원군은 프랑스와 미국의 침략을 물리친 후 전국 각지에 □□□를 세웠습니다.

3 조선은 1876년 □□과 강화도에서 조약을 맺었습니다.

보기

- 창덕궁
- 경복궁
- 탕평비
- 척화비
- 일본
- 미국

2일 개념 확인하기

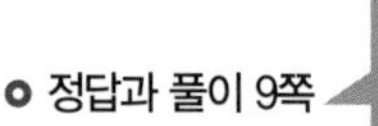

정답과 풀이 9쪽

1 오른쪽 인물이 했던 일이 아닌 것은 어느 것입니까? (   )

▲ 흥선 대원군

① 서원을 정리했다.
② 경복궁을 다시 지었다.
③ 국왕 중심의 정치를 운영했다.
④ 세도 정치의 잘못된 점을 고치려고 했다.
⑤ 탕평비를 세우고 통상 수교 거부 정책을 약화했다.

2 조선 후기 서양 세력의 침략에 대해 알맞게 말한 어린이를 쓰시오.

시완 : 병인양요와 신미양요 이후 전국에 척화비가 세워졌어.
승연 : 미국이 군함을 이끌고 강화도를 침략한 사건을 병인양요라고 해.
준열 : 흥선 대원군은 신미양요를 계기로 일본과 강화도 조약을 맺었어.

(   )

3 오른쪽 비석에 담긴 내용으로 알맞은 것은 어느 것입니까? (   )

▲ 척화비

① 인재를 고르게 뽑아야 한다.
② 세도 정치를 계속해야 한다.
③ 서양 세력과 교류하지 않겠다.
④ 서양의 문물을 받아들여야 한다.
⑤ 조선이 더욱 발전하려면 일본과 교류해야 한다.

[4~5] 다음 1876년 조선과 일본이 체결한 조약의 조항을 읽고, 물음에 답하시오.

- 조선은 자주적인 나라로 일본과 평등한 권리가 있다.
- 조선의 해안을 일본이 자유로이 측량하도록 허가한다.

4 위 조항이 담긴 조약은 무엇인지 쓰시오.

( )

5 위 조약의 특징으로 알맞은 것을 보기에서 두 가지 찾아 기호를 쓰시오.

보기
㉠ 조선에게 불평등한 조약입니다.
㉡ 외국과 맺은 최초의 근대적 조약입니다.
㉢ 미국과 교류를 하는 직접적인 계기가 되었습니다.

(,)

똑똑한 하루 퀴즈

6 다음에서 □ 안에 들어갈 단어를 말 상자에서 모두 찾아 ○표를 하세요. 말 상자의 단어는 가로, 세로, 대각선에 숨어 있어요.

프	신	운		서
랑		미	붕	당
스	세	도	정	치
미	국	조	서	
	강	화	도	원

1. 흥선 대원군은 □□ □□의 잘못된 점을 고치고 국왕 중심의 정치를 운영하고자 했음.
2. 흥선 대원군은 당시 세금을 면제받고 부당하게 재산을 쌓던 □□을 47개만 남기고 정리했음.
3. 병인양요는 □□□가 통상을 요구하며 침략한 사건임.

3일 갑신정변

개항 이후 사람들은 어떤 생각을 했을까?

용어 체크

개화

다른 나라의 더 발전된 문화와 제도를 받아들여 과거의 생각, 문화와 제도 등을 발전시켜 나가는 것

예 사회가 ❶ ______ 되면서 기존의 제도들이 차차 없어지게 되었다.

정변

비합법적인 방법으로 생긴 정치적인 큰 변화

예 급진 개화파는 조선을 개혁하기 위해 ❷ ______ 을 일으켰다.

정답 ❶ 개화 ❷ 정변

옛날 우정총국에서는 무슨 일이 일어났을까?

그러고 보니 우정총국 개국 축하 잔치를 틈타 갑신정변이 일어났었지. 내 발표와 딱 맞는 상품이군.

도굴 협회에서 가치 있는 우표를 줄 리는 없고…….
싸게 팔아서 용돈이나 해야겠다.

며칠 후
며칠 전 중고 거래로 산 우표인데요. 귀한 물건은 아니겠죠?
어디 보자 …….

이건 엄청 귀한 우표라고!
네?!
박물관에 기증할 거예요!
수집용으로 싸게 산 우표, 가치있는 것으로 밝혀져
털
썩
끄아아
설마 그게 귀한 우표였을 줄이야! 어흐흐흑!

용어 체크

우정총국

우리나라 최초의 우편 업무를 담당하던 관청

예 조선 후기에는 ❶ ______ 을 통해 우편으로 소식을 전했다.

▲ 우정총국을 복원한 현재 모습

정답 ❶ 우정총국

3일 개념 익히기

1 조선의 개혁에 대한 옛사람들의 생각은 무엇이었을까?

온건 개화파 예 김홍집
온건 개화파는 조선의 법과 제도를 바탕으로 개화를 해야 한다고 주장했어.

"청과의 관계를 유지하면서 서양의 기술을 받아들이는 개화가 필요합니다."

"청의 간섭을 물리치고 서양의 기술, 사상, 제도까지 받아들여 개화해야 합니다."

✔ 조선의 법과 제도를 바탕으로 개화를 하자는 의견과 서양의 기술과 제도까지 받아들이자는 의견이 있었습니다.

2 갑신정변은 어떻게 전개되었을까?

김옥균을 중심으로 한 급진 개화파는 일본의 도움을 받아 우정총국의 개국 축하 잔치를 틈타 정변을 일으켰음(**갑신정변**, 1884년).

↓

새 정부를 조직하고 주요 개혁 정책을 발표했음.

↓

청군의 개입으로 3일 만에 끝났음.

갑신정변의 개혁안(일부)

- 청에 대한 조공 허례를 폐지한다. (조공: 정성이 없이 겉으로만 외교 관계를 위해 예물을 바치는 일)
- 문벌을 폐지하고, 백성들이 평등한 권리를 갖는 제도를 마련하며, 능력에 따라 관리를 임명한다. (문벌: 대대로 내려오는 한 집안의 사회적 신분이나 지위)

✔ 김옥균을 중심으로 한 ❶(급진 / 온건) 개화파가 정변을 일으키고 개혁 정책을 발표했으나 3일 만에 실패로 끝났습니다.

3 갑신정변의 의의와 한계는 무엇일까?

갑신정변의 의의

▲ 갑신정변의 주역들

새로운 국가를 만들려는 개혁 시도였음.

왼쪽부터 박영효, 서광범, 서재필, 김옥균이야!

갑신정변의 한계

갑신정변 이후 김옥균은 박영효, 서광범 등과 함께 일본으로 피했어.

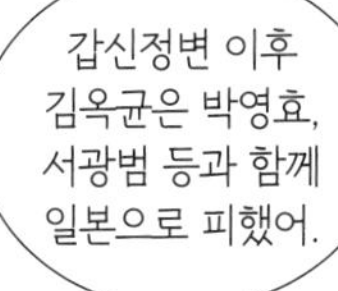

무슨 일이야?
급진 개화파
도와준다며!
도망가자!
청군

- 일본의 힘에 의지하고 준비가 부족했음.
- 많은 사람의 지지를 받지 못했음.

☑ 새로운 국가를 만들려고 했지만 일본의 힘에 의지하고 ❷(능력 / 준비)이/가 부족했습니다.

정답 ❶ 급진 ❷ 준비

개념 체크

정답과 풀이 10쪽

1 조선의 법과 제도를 바탕으로 하는 개화를 주장한 사람은 □□□입니다.

2 급진 개화파는 □□□□의 개국 축하 잔치를 틈타 정변을 일으켰습니다.

3 갑신정변은 □□의 힘에 의지했다는 점에서 한계를 가집니다.

보기
- 김옥균
- 김홍집
- 우정총국
- 무령왕릉
- 일본
- 미국

3일 개념 확인하기

빠른 정답 보기
○ 정답과 풀이 10쪽

1 오른쪽 인물의 주장으로 알맞은 것은 어느 것입니까? (　　　　)

▲ 김홍집

① 나라의 문을 닫아야 한다.
② 청의 간섭에서 벗어나야 한다.
③ 청과의 관계를 유지해야 한다.
④ 수도인 한양만 개혁이 필요하다.
⑤ 일본의 법과 제도를 바탕으로 개화해야 한다.

2 다음 도윤이가 갑신정변에 대해 정리한 내용 중 알맞지 않은 것을 찾아 기호를 쓰시오.

㉠ 능력에 따라 관리를 임명할 것을 주장했다.
㉡ 청에 대한 조공 허례를 폐지할 것을 주장했다.
㉢ 김홍집을 중심으로 한 급진 개화파가 일으켰다.
㉣ 우정총국의 개국 축하 잔치를 틈타 정변을 일으켰다.

(　　　　　　　　)

3 갑신정변과 관련 있는 장소에 ○표를 하시오.

(1) 

▲ 도산 서원

(　　　　　　)

(2) 

▲ 규장각

(　　　　　　)

(3) 

▲ 우정총국

(　　　　　　)

갑신정변

4 갑신정변이 가지는 한계로 알맞은 것은 어느 것입니까? (　　　　　)

① 청의 힘에 의지했다.
② 개화를 천천히 진행했다.
③ 백성들의 평등을 주장했다.
④ 미국이 갑작스럽게 개입했다.
⑤ 많은 사람의 지지를 받지 못했다.

집중 연습 문제 급진 개화파

[5~6] 다음 사진을 보고, 물음에 답하시오.

▲ 왼쪽부터 박영효, 서광범, 서재필, 김옥균

모두 새로운
조선을 꿈꾸었던
사람들이야.

5 위 사진 속 인물들이 일으킨 사건을 보기에서 찾아 쓰시오.

보기
• 병인양요　　• 신미양요　　• 갑신정변

(　　　　　　　　　)

6 위 인물들이 주장한 내용은 어느 것입니까? (　　　　　)

① 청과 힘을 합쳐야 한다.
② 청의 간섭에서 벗어나야 한다.
③ 청에 유학생을 파견해야 한다.
④ 출신 가문에 따라 관리를 임명해야 한다.
⑤ 조선의 법과 제도를 바탕으로 개화가 필요하다.

급진 개화파와
반대되는 주장을 했던
사람들을 부르는 말은
무엇일까?

○○ 개화파

4일 동학 농민 운동

농민들은 왜 화가 났을까?

용어 체크

부패

정치, 사상, 의식 등이 잘못된 길로 빠지는 일

예 조선 후기 ❶ ______ 한 관리들로 인해 백성들이 고통을 당했다.

횡포

제멋대로 굴며 몹시 난폭함. (난폭: 행동이 몹시 거칠고 사나움.)

예 갑신정변 후에도 지방 관리의 ❷ ______ 는 여전히 심했다.

정답 ❶ 부패 ❷ 횡포

분노한 농민들, 일어서다!

나 전봉준은 뜻을 같이하는 사람들과 힘을 모아 동학 농민군을 이끌겠소!

이 땅에서 못된 관리들을 몰아냅시다!

동학 농민 운동이 저렇게 일어나게 되었구나!

맞아. 고부 지역 군수의 횡포를 막기 위해 전봉준이 군사를 일으켰지.

와아

조선 정치에 심하게 간섭하는 일본군을 물리칩시다!

앗, 잠시 해산했던 농민군이 다시 봉기했어.

탕 탕 탕

동학 농민군의 무기로는 총을 들고 있는 일본군을 이길 수 없잖아!

동학 농민군! 힘내라!

벌떡

지지 마! 동학 농민군! 엥?

방금 나랑 똑같이 응원한 사람이 있었는데?

두리번

두리번

착

쟤네들은 왜 또 여기 있는 거야?

용어 체크

동학

민간 신앙과 유교, 불교, 천주교의 장점을 모아 최제우가 만든 종교

예 19세기에 만들어진 ❶ [   ] 은 당시 사회를 바꾸기 위한 여러 가지 주장을 펼쳤다.

봉기

벌 떼처럼 떼 지어 세차게 일어남.

예 농민들은 세금 제도를 고칠 것을 요구하며 ❷ [   ] 했다.

정답 ❶ 동학 ❷ 봉기

4일 개념 익히기

1 동학 농민 운동은 왜 일어났을까?

갑신정변 이후에도 일부 양반과 지방 관리의 횡포는 여전히 심했어.

고부 군수의 횡포

저 사람의 죄는 무엇이냐?

비석을 세우는 데 필요한 돈을 내지 않았습니다.

군수의 아버지를 칭찬하는 비석을 세운다며 강제로 세금을 거두었음.

백성을 동원하여 저수지를 만들고, 물값을 매겨 강제로 세금을 거두었음.

저는 이웃과 친하게 지내지 않아 돈을 내야 풀려난다고 합니다.

이웃과 친하지 않다는 등의 죄목을 붙여 강제로 세금을 거두었음.

☑ 동학 농민 운동(1894년)은 고부 군수의 ❶(선행 / 횡포)이/가 원인이 되어 일어났습니다.

2 동학 농민군이 원하는 세상은 어떤 모습이었을까?

전봉준과 동학 농민군의 개혁안(일부)

- 탐관오리(탐욕이 많고 부정을 일삼는 벼슬아치), 못된 양반은 그 죄를 조사해 벌한다.
- 노비 문서를 소각한다(불에 태워 없앰.).
- 정해진 세금 외에 잡다한 세금을 폐지한다.
- 일본에 협력하는 사람을 엄히 벌한다.

나는 백성들의 생활이 좀 더 나아지길 원했을 뿐입니다.
전봉준

☑ 못된 관리가 ❷(많고 / 없고), 일본과 같은 외국에 의지하지 않는 세상을 원했습니다.

3 동학 농민 운동은 어떻게 전개되었을까?

1 동학 농민 운동의 지도자 **전봉준**이 고부 군수의 횡포를 막기 위해 군사를 일으켰음.

2 조선은 청에게 도움을 요청했고, 청과 일본이 조선으로 군대를 보냈음.

3 동학 농민군은 조선 정부에게 개혁안을 약속받고 스스로 흩어졌음.

4 청일 전쟁에서 승리한 일본의 조선 간섭이 더욱 심해졌음.

5 일본을 몰아내려 동학 농민군이 다시 일어났지만, 공주 **우금치 전투**에서 패배했음.

고부 군수의 횡포를 막고자 ❸(전봉준 / 김옥균)이 군사를 일으켰으나 결국 일본군과 관군에 패배했습니다.

정답 ❶ 횡포 ❷ 없고 ❸ 전봉준

개념 체크

정답과 풀이 10쪽

1 동학 농민 운동은 ☐☐ 군수의 횡포를 막기 위해 일어났습니다.

2 동학 농민군의 개혁안에는 ☐☐에 협력하는 사람을 엄히 벌한다는 내용이 담겨 있습니다.

3 동학 농민군은 ☐☐☐ 전투에서 크게 패했습니다.

보기
- 고려
- 고부
- 조선
- 일본
- 우금치
- 봉오동

4일 개념 확인하기

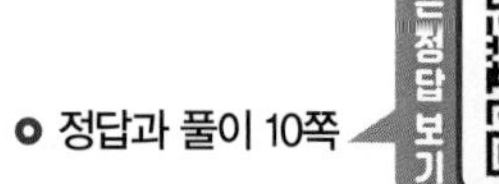
정답과 풀이 10쪽

1 조선 후기에 오른쪽과 같은 관리들의 횡포가 계기가 되어 일어난 사건은 무엇입니까? (　　　)

이 사람은 농사에 사용한 물값을 내지 않았습니다.

▲ 백성들에게 강제로 세금을 거두었음.

① 임진왜란
② 갑신정변
③ 강화도 조약
④ 운요호 사건
⑤ 동학 농민 운동

[2~3] 다음은 동학 농민 운동 당시의 개혁안 중 일부입니다.

- 탐관오리, 못된 양반은 그 죄를 조사해 벌한다.
- [㉠] 문서를 소각한다.
- 정해진 세금 외에 잡다한 세금을 폐지한다.
- 일본에 협력하는 사람을 엄히 벌한다.

2 위 ㉠에 들어갈 알맞은 말은 어느 것입니까? (　　　)

① 집　② 도지　③ 동학
④ 한글　⑤ 노비

3 위 개혁안을 읽고 바르게 말한 어린이를 쓰시오.

동학 농민군은 외국에 의지하지 않는 세상을 원했었나 봐.

▲ 현아

백성들보단 양반들과 왕이 잘사는 세상을 원했어.

▲ 지후

(　　　　　　　　)

4 다음 글을 읽고 동학 농민군이 다시 봉기한 까닭을 고르시오. (　　　　)

> 동학 농민군은 조선 정부에게 개혁안을 약속받고 흩어졌지만 청일 전쟁에서 승리한 일본이 조선의 정치에 더욱 심하게 간섭했습니다.

① 청을 몰아내기 위해서
② 일본을 몰아내기 위해서
③ 외국 군대를 부르기 위해서
④ 조선 정부와 전투를 벌이기 위해서
⑤ 동학의 세력을 더욱 확장하기 위해서

5 동학 농민 운동에 대한 설명으로 알맞지 않은 것의 기호를 보기에서 찾아 쓰시오.

보기
㉠ 조선은 동학 농민군 진압을 위해 청에 도움을 요청했습니다.
㉡ 동학 농민군은 공주 우금치에서 벌어진 전투에서 승리했습니다.

(　　　　　　　　)

똑똑한 하루 퀴즈

6 다음 힌트를 보고 '나'는 누구인지 글자 카드에서 찾아 쓰세요.

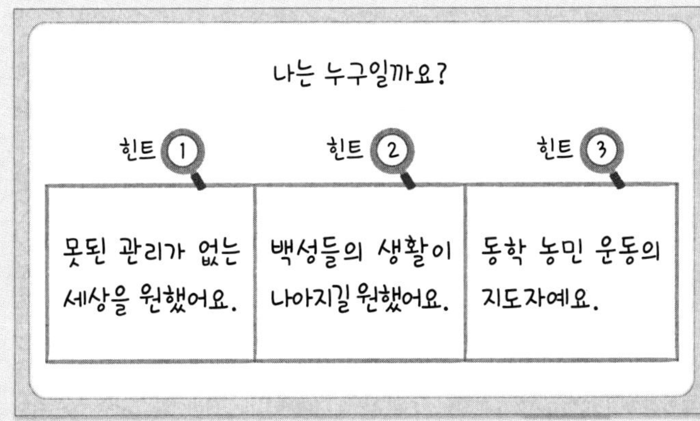

나는 누구일까요?
힌트 1
못된 관리가 없는 세상을 원했어요.
힌트 2
백성들의 생활이 나아지길 원했어요.
힌트 3
동학 농민 운동의 지도자예요.

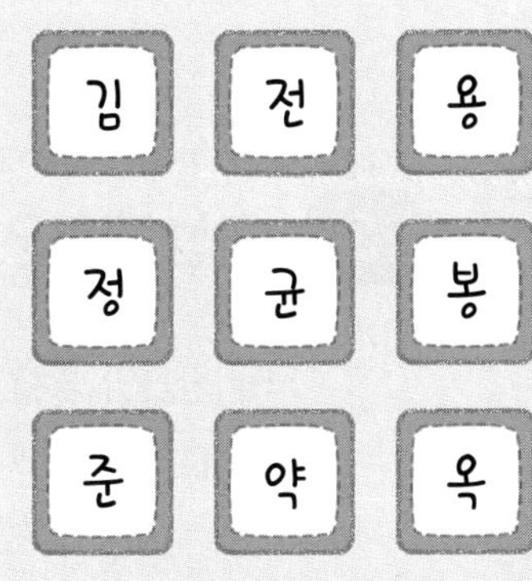

(　　　　　　　　)

3주 마무리하기

1 영조와 정조의 개혁 정책

탕평책은 붕당과 상관없이 인재를 고르게 등용하던 정책을 말해.

① 영조의 개혁 정책

탕평책 실시	탕평책을 펼쳐 왕권을 강화하고 정치를 안정시키고자 했음.
생활 안정	세금을 줄이고 백성의 생활을 안정시켰음.
학문 연구	많은 책을 편찬해 학문과 제도를 정비했음.

② 정조의 개혁 정책

인재 등용	영조의 탕평책을 이어받아 인재를 고루 뽑았음.
규장각 설치	왕실 도서관인 규장각을 설치하고 젊은 학자들의 학문 연구를 도왔음.
수원 화성 건설	새로운 과학 기술을 응용하여 수원 화성을 건설했음.

2 서민 문화

① 발달한 까닭 : 조선 후기 농업 생산력이 높아지고 상공업이 발달하면서 경제적인 여유가 생긴 사람들이 늘어났기 때문에

② 서민 문화의 종류

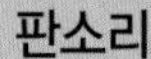

판소리

긴 이야기를 노래로 들려주는 공연

탈놀이

탈을 쓰고 하는 연극이나 춤

풍속화

당시 사람들의 생활 모습을 담고 있는 그림

3 흥선 대원군의 정책

어린 나이에 왕이 된 아들 고종을 대신해 흥선 대원군이 정치적 실권을 차지했어.

국왕 중심의 정치	세도 정치의 잘못된 점을 고치고 국왕 중심으로 정치를 운영했음.
서원 정리	세금을 면제받고 부당하게 재산을 쌓던 서원을 정리했음.
경복궁 중건	임진왜란 때 불에 탔던 경복궁을 고쳐 지었음.
통상 수교 거부 정책	한양과 전국 각지에 척화비를 세웠음.

4 갑신정변(1884년)

주도한 인물	김옥균, 박영효, 서광범 등의 급진 개화파
전개	김옥균을 중심으로 한 사람들은 우정총국의 개국 축하 잔치를 틈타 정변을 일으켰음.
결과	일본의 힘에 의지하고 많은 사람의 지지를 받지 못해 3일 만에 실패로 끝났음.

▲ 갑신정변의 주역들

급진 개화파와
동학 농민군은
모두가 평등한
사회를 꿈꿨어.

5 동학 농민 운동(1894년)

배경	갑신정변 이후에도 일부 양반과 지방 관리의 횡포가 여전히 심했음.
전개	전봉준이 고부 군수의 횡포를 막기 위해 뜻을 같이 하는 사람들을 모아 군사를 일으켰음.
결과	동학 농민군은 후퇴를 거듭하다 해산했고, 전봉준은 처형을 당했음.

하루
뉴스

20△△. △△. △△.

병인양요 당시 프랑스가 약탈했던 문화재는 어떻게 되었을까

1866년 프랑스는 조선에 통상을 요구하며 강화도를 침략했습니다. 조선의 군대는 전투를 벌여 이들을 물리쳤지만 프랑스군은 물러가면서 외규장각에 보관되어 있던 귀중한 책과 무기, 곡식 등을 약탈해 갔습니다.

이후 한국의 여성학자로 프랑스 국립 도서관 사서로 근무하던 박병선 박사를 통해 조선이 빼앗겼던 외규장각의 『의궤』가 발견되었습니다.

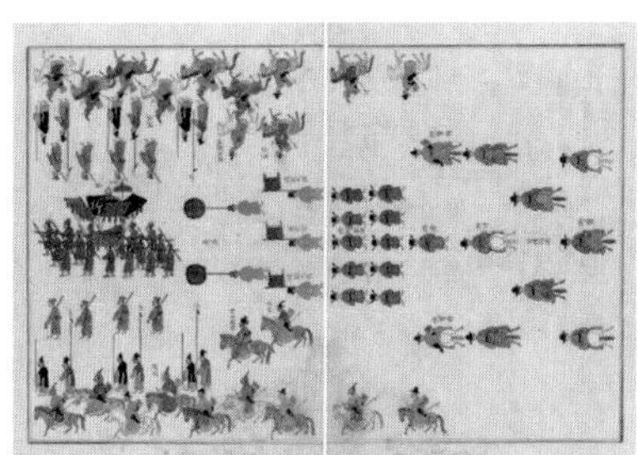
▲ 『영조·정순 왕후 가례도감 의궤』 일부분

왕의 결혼, 장례 등 왕실의 주요 행사 모습이 기록되어 있는 『의궤』는 2011년 프랑스에서 5년마다 다시 빌려오는 형식으로 우리나라에 돌아오게 되었고, 현재는 국립 중앙 박물관 누리집에서 그 모습을 확인할 수 있습니다.

5일 3주 마무리하기

1일 새로운 사회를 향한 움직임

1 영조가 한 일로 알맞은 것은 어느 것입니까? (　　　　)

① 수원 화성을 건설했다.

② 경복궁을 다시 고쳐 지었다.

③ 왕실 도서관인 규장각을 설치했다.

④ 서원을 일부만 남기고 모두 정리했다.

⑤ 많은 책을 편찬해 학문과 제도를 정비했다.

2 다음에서 설명하는 학문은 무엇인지 보기에서 찾아 쓰시오.

> 임진왜란과 병자호란 이후 기존의 학문이 사회 문제를 해결할 방법을 제시하지 못하자 등장한 새로운 학문입니다.

보기
- 실학
- 성리학

(　　　　　　　　)

3 오른쪽 서민 문화의 특징으로 알맞은 것을 보기에서 찾아 기호를 쓰시오.

보기

㉠ 양반들만 즐길 수 있었습니다.

㉡ 백성의 생각이나 감정을 솔직하게 표현했습니다.

㉢ 당시 사람들의 생활 모습을 담고 있는 그림입니다.

▲ 탈놀이

(　　　　　　　　)

2일 외세의 침입

4 흥선 대원군이 했던 일로 알맞은 것은 어느 것입니까? (　　　　)

① 창덕궁을 중건했다.
② 세도 정치를 실시했다.
③ 서원을 많이 만들었다.
④ 외국과의 통상을 원했다.
⑤ 국왕 중심의 정치를 운영했다.

5 다음 내용과 관련 있는 역사적 사건은 무엇입니까? (　　　　)

1866년, 프랑스가 통상을 요구하며 강화도를 침략했지만 조선은 강화도로 군대를 보내 전투를 벌여 이들을 물리쳤습니다.

① 신미양요　② 병인양요　③ 갑신정변
④ 귀주 대첩　⑤ 운요호 사건

6 다음 신문 기사 제목과 관련 있는 역사적 사건으로 알맞은 것은 어느 것입니까? (　　　　)

1876. △△. △△.

조선, 강화도에서 외국과 최초로 근대적 조약 맺어

① 신미양요　② 병인양요　③ 임진왜란
④ 병자호란　⑤ 강화도 조약 체결

3일 갑신정변

7 다음 인물이 가졌던 조선의 개혁에 대한 생각은 무엇인지 알맞게 선으로 이으시오.

(1) 김홍집 • 　　• ㉠ 청과의 관계를 유지하면서 서양의 기술을 받아들여야 합니다.

(2) 김옥균 • 　　• ㉡ 청의 간섭을 물리치고 서양의 기술, 사상, 제도까지 받아들여야 합니다.

8 다음 퀴즈의 정답을 알맞게 적은 어린이를 쓰시오.

'갑신정변' ○× 퀴즈

(1) 우정총국의 개국 축하 잔치를 틈타 일어난 사건입니다.

(2) 많은 사람의 지지를 받아 큰 성공을 거두었습니다.

▲ 우식

▲ 정연

( )

서술형

9 갑신정변은 어떤 점에서 한계를 가졌는지 한 가지만 쓰시오.

4일 동학 농민 운동

10 동학 농민 운동의 직접적인 원인이 된 사건으로 알맞은 것은 어느 것입니까? (　　　　)

① 병인양요　② 경복궁 중건　③ 탕평책 실시
④ 강화도 조약 체결　⑤ 고부 군수의 횡포

3주

11 동학 농민 운동의 개혁안으로 알맞은 것에 ○표를 하시오.

(1) 일본에 협력하는 사람에게는 큰 상을 준다. (　　　　)
(2) 탐관오리, 못된 양반은 그 죄를 조사해 벌한다. (　　　　)

12 우리나라의 역사적 사건이 적힌 구슬을 꿰어 팔찌를 만들려고 해요. 사건의 순서대로 왼쪽 구슬부터 알맞게 번호를 쓰세요.

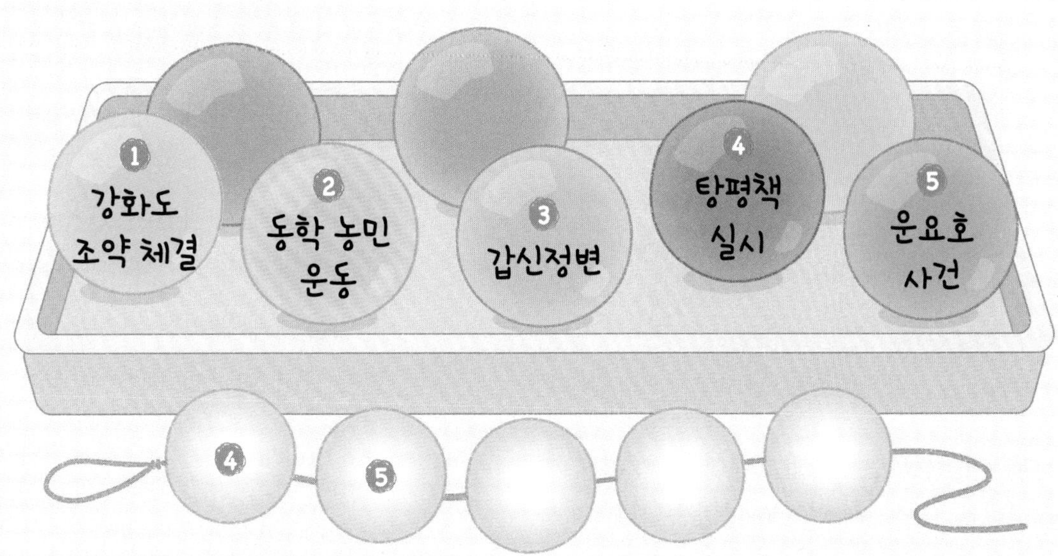

3주 누구나 100점 TEST

맞은 개수 /10개

1 다음에서 설명하는 왕은 누구입니까? (　　　　)

- 규장각을 설치했습니다.
- 수원 화성을 건설하고 그곳을 상업의 중심지로 삼으려 했습니다.

① 세종　② 성종　③ 영조　④ 정조　⑤ 고종

2 실학자들의 주장으로 알맞지 않은 것은 어느 것입니까? (　　　　)

① 토지 제도를 바꿔야 한다.
② 청의 문물을 받아들여야 한다.
③ 농업과 상공업을 발달시켜야 한다.
④ 과학적인 농사 기술을 알려야 한다.
⑤ 우리나라의 고유한 것은 외국의 것으로 바꿔야 한다.

3 다음 서민 문화를 보고, (　　) 안의 알맞은 말에 ○표를 하시오.

▲ 탈놀이

위 서민 문화는 (양반 / 백성)의 생각을 솔직하게 표현해서 인기가 많았습니다.

4 흥선 대원군에 대해 알맞게 말한 어린이를 쓰시오.

경복궁을 다시 고쳐 지어서 백성들에게 칭찬을 받았어.
척화비를 세워 서양 세력과 교류하지 않겠다는 의지를 보여 주었어.

▲ 태현　▲ 현진

(　　　　　　　　)

5 다음 내용과 관련 있는 조약에 대한 설명으로 알맞은 것은 어느 것입니까? (　　　　)

- 조선은 자주적인 나라로 일본과 평등한 권리가 있다.
- 조선의 해안을 일본이 자유로이 측량하도록 허가한다.

① 제주도에서 체결되었다.
② 조선과 중국이 맺은 조약이다.
③ 일본에게 불리한 불평등 조약이다.
④ 조선이 외국과 맺은 최초의 근대적 조약이다.
⑤ 미국의 침략을 더욱 쉽게 만들려는 뜻이 숨어 있다.

6 다음 인물의 주장으로 알맞은 것을 보기에서 찾아 기호를 쓰시오.

▲ 김옥균

보기
㉠ 청의 간섭을 물리쳐야 합니다.
㉡ 청과의 관계를 유지해야 합니다.

( )

7 다음 신문 기사의 제목과 관련 있는 역사적 사건으로 알맞은 것은 어느 것입니까? ( )

1884. △△. △△.

우정총국 개국 축하 잔치에서 정변 일어나

① 임진왜란 ② 병인양요
③ 갑신정변 ④ 병자호란
⑤ 신미양요

8 급진 개화파들이 갑신정변을 일으킬 때 도움을 요청했던 나라는 어디입니까? ( )

① 청 ② 일본 ③ 미국
④ 영국 ⑤ 러시아

9 다음과 같은 개혁안과 관련 있는 사건은 무엇입니까? ( )

- 탐관오리, 못된 양반은 그 죄를 조사해 벌한다.
- 노비 문서를 소각한다.
- 정해진 세금 외에 잡다한 세금을 폐지한다.
- 일본에 협력하는 사람을 엄히 벌한다.

① 임진왜란 ② 갑신정변
③ 운요호 사건 ④ 동학 농민 운동
⑤ 강화도 조약 체결

10 다음 ㉠에 들어갈 검색 결과로 알맞지 않은 것은 어느 것입니까? ( )

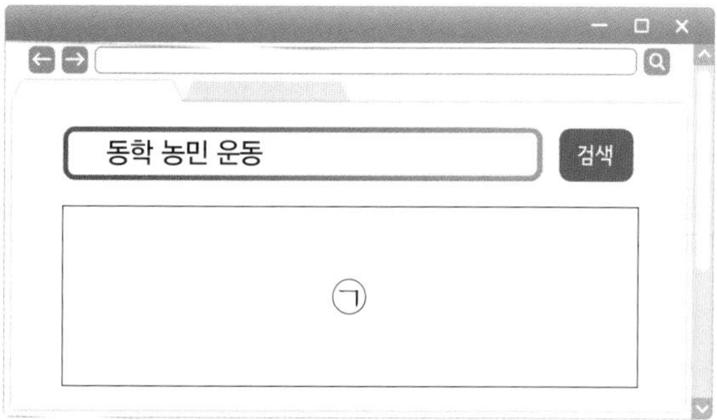

① 전봉준의 횡포가 원인이 되었다.
② 외국에 의지하는 것을 반대했다.
③ 노비 문서를 없앨 것을 요구했다.
④ 공주 우금치에서 벌어진 전투에서 패했다.
⑤ 동학 농민군은 못된 관리가 없는 세상을 원했다.

3주

창의·융합·코딩

3주 특강 생활 속 사회

오늘날까지도 찾아볼 수 있는 조선 시대의 서민 문화에 대해 알아봅니다.

조선 시대의 서민 문화

보너스 점수를 받을 수 있는 특별 과제가 주어졌어. 날 따라와!

예~

이야, 너무 신나는 걸?

얼쑤!

옛날 서민들이 즐겼던 탈놀이야. 백성의 생각이나 감정을 솔직하게 표현했지.

이 그림도 한 번 볼래?

풍속화구나! 다양한 사람들의 생활 모습이 실감나게 담겨 있어.

관객들도 이야기 하는 것 같은데?

두리번

판소리는 관객도 함께 참여할 수 있거든.

오늘 신나게 문화 활동을 즐겼네. 탈놀이, 풍속화, 판소리……. 이게 특별 과제와 관련 있는 건가?

딱

알겠다! 서민 문화 체험 해보기였구나!

특별 과제도 통과!

야호! 보너스 점수 획득!

저기요. 공연 다 끝났는데…….

ㄹㄹ

음냐 음냐

흔들 흔들

1 다음은 산들이와 바람이가 체험하고 온 서민 문화입니다. 알맞은 답을 찾아 선으로 이으세요.

탈놀이 풍속화 판소리

탈을 쓰고 백성의 생각이나 감정을 솔직하게 표현했던 놀이

관객들도 참여할 수 있는, 긴 이야기를 노래로 들려주는 공연

사람들의 생활 모습을 실감나게 표현한 그림

사고 쑥쑥

정조 시기에 지어진 대표적인 건축물에 대해 알아봅니다.

2 다음은 정조 시기에 지어진 건축물에 대한 설명입니다. □ 안에 공통으로 들어갈 건축물로 알맞은 것을 찾아 기호를 쓰세요.

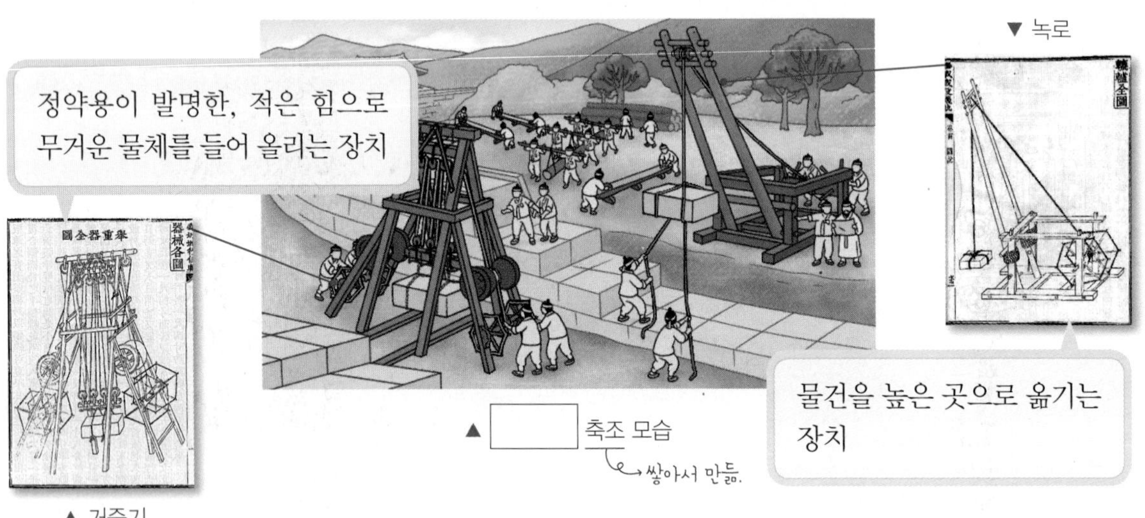

정약용이 발명한, 적은 힘으로 무거운 물체를 들어 올리는 장치
물건을 높은 곳으로 옮기는 장치
쌓아서 만듦.

▲ 거중기

▼ 녹로

▲ □ 축조 모습

□ 은/는 정조 시기의 우수한 과학 기술과 지식을 활용해 건설되었습니다. 더불어 건축물의 예술적 가치 또한 인정받아 유네스코 세계 문화유산으로 등재되었습니다.

㉠

▲ 경복궁

㉡

▲ 첨성대

㉢

▲ 수원 화성

㉣

▲ 석굴암

( )

흥선 대원군에 대한 질문을 보고, 도착까지 가는 길을 완성해 봅니다.

5 질문에 알맞은 대답을 찾아 화살표로 가는 길을 표시해 보세요.

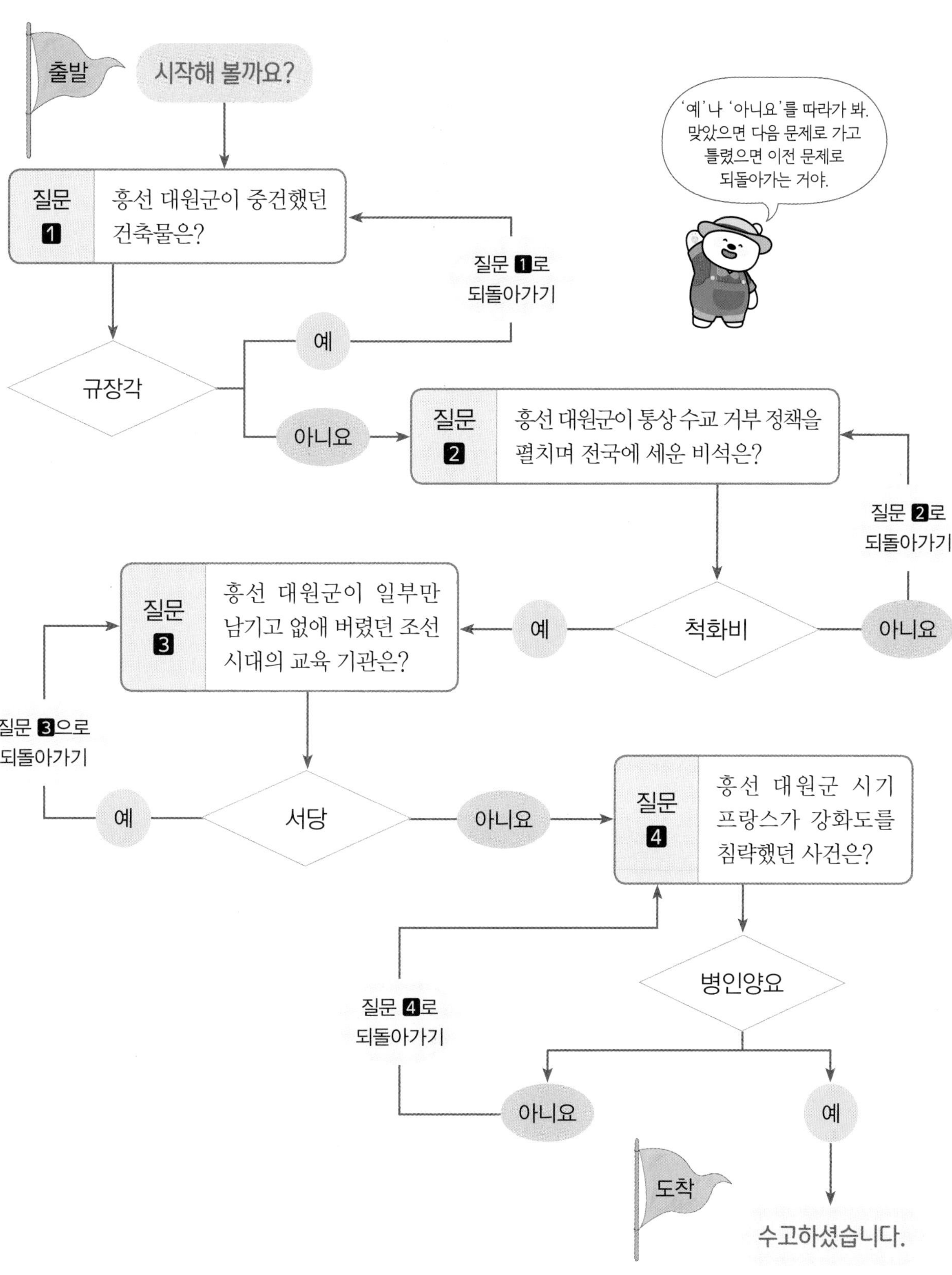

3주

대한 제국에서 대한민국으로

4주에는 무엇을 공부할까? ❶

이곳은 고종이 대한 제국을
선포했던 환구단이야.
고종은 대한 제국이 자주적인
나라임을 보여 주기 위해
여기에서 황제로 즉위했어.

자주적인 나라가 되기 위해
노력했지만, 결국 일제 강점기를
겪었어.
그래도 독립을 위한 많은 사람의
노력이 없었다면 나라를 되찾기
힘들었을 거야.

그렇게 광복이 되었지만,
한반도는 미국과 소련에 의해 38도선을
경계로 둘로 나뉘게 됐어.
신탁 통치를 하려 했지만 사람들의
반대가 심했고, 정부 수립 과정에서도
많은 갈등이 있었대.

그래서 국제 연합에서는 남한에서만
5·10 총선거를 결정했다고 들었어.
맞아. 여러 과정을 거쳐
1948년 대한민국 정부가
수립되었지만

무력으로 한반도를 통일하길 원했던
북한이 1950년에 남한을 침략하면서
6·25 전쟁이 일어났지.
나라가 분단된 것도 마음 아픈데
전쟁까지 일어나다니!

그리 길지 않은 시간인데도
많은 사건들이 있었지?
차근차근 공부해
봐야겠어.
나도!

▲ 독립문

독립 선언서는
우리나라가 자주적인
나라임을 알리고
있어.

▲ 3 · 1 독립 선언서

나라를 지키기 위한 노력
- 독립 협회
  - 독립문 건설
  - 만민 공동회 개최
- 항일 의병
- 3·1 운동
- 대한민국 임시 정부
  - 한인 애국단
  - 한국광복군

▲ 항일 의병

이외에도 수많은
사람들의 희생과
노력이 있었다는 걸
기억해!

▲ 대한민국 임시 정부의 주요 인물들

대한 제국 선포부터 광복 이후
대한민국 정부가 세워지기까지의
역사를 함께 살펴보자!

4주에는 무엇을 공부할까? ❷

대한 제국

大 韓 帝 國

큰 대 나라 한 임금 제 나라 국

앞으로 조선을 대한 제국이라고 칭하겠노라.

뜻 **조선 후기 고종이 자주독립과 왕권 강화를 위해 황제 국가를 선포하면서 수립된 나라**

예 1897년 고종은 **대한 제국**을 선포하고 황제로 즉위했다.

자주독립

自 主 獨 立

스스로 자 주인 주 홀로 독 설 립

독립 협회는 자주독립을 위해 노력했던 단체예요.
독립신문

뜻 **남의 보호나 간섭을 받지 않고 정치적으로 자주권을 가지게 되는 것**

예 우리 민족은 일제 강점기에 **자주독립**의 의지를 굽히지 않았다.

고종의 반대에도 을사늑약이 체결됐어.

나라 사이에 강제로 맺은 조약

을사늑약

이제 대한 제국의 외교권은 우리 거야!

나라 팔아 부자 돼야지

뜻 **1905년 일본이 한국의 외교권을 박탈하기 위해 강제로 체결한 조약**

박탈: 남의 재물이나 권리, 자격 등을 빼앗음.

예 **을사늑약**이 체결되자 나라 안에서는 많은 저항이 일어났다.

항일 의병

뜻 **일제의 침략에 맞서 백성들이 스스로 만든 군대**

예 을미사변과 단발령에 대항하여 처음으로 **항일 의병**이 일어났다.

대한 제국에서 대한민국이 되는 동안 많은 역사적 사건들이
있었어. 특히 3·1 운동, 6·25 전쟁 등의 사건은 꼭 기억해!

3·1 운동

대한 독립 만세!

뜻 **1919년 3월 1일에 전국적으로 일어난 항일 독립운동**

예 **3·1 운동**의 열기는 만주, 연해주 등 해외까지 퍼져 나갔다.

대한민국 임시 정부

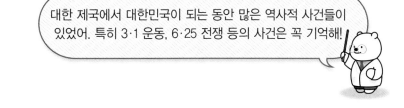

뜻 **3·1 운동 직후 조국의 광복을 위해 중국 상하이에서 조직하여 선포한 임시 정부**

예 **대한민국 임시 정부**는 체계적인 독립운동을 위해 설립되었다.

독립을 위한
많은 노력들이
있었어.

6·25 전쟁

뜻 **1950년부터 1953년까지 남한과 북한이 싸운 전쟁**

예 **6·25 전쟁**으로 많은 전쟁고아와 이산가족이 생기게 되었다.

일제로부터 독립하기 위한
수많은 노력이 있었네!
항일 의병 운동과
3·1 운동, 대한민국
임시 정부도 있었지!
이외에도 엄청 많다고~
그래서 우리나라가
1945년 8월 15일에
광복을 맞이하게 된 거야.

4주

1일 자주독립과 근대화를 위한 노력

조선의 왕비가 사라지다.

2차 승급 시험부터는 가상 공간에서 임무를 받을 거야. 잘 해 봐!

접속

조선의 국모가 시해당하다니. 이게 무슨 일이란 말인가!

꺼이

꺼이

시해라고? 그럼 높은 사람이 살해 당했다는 건데.

알았다! 우린 지금 을미사변 사건 현장에 와 있는 거야!

착

착

잠깐만!

일본인들이 경복궁에 침입해서 명성 황후를 살해했어! 이게 말이 돼?

당시 조선 왕실은 일제의 간섭을 피해 러시아와 친하게 지내려고 했대.

그래서 명성 황후를 걸림돌이라 생각하고 살해했구나.

이 사건으로 고종은 러시아 공사관으로 몸을 피했어.

응?

너무 많은 것을 알고 있군! 잡아라!

으악~

용어 체크

시해

왕이나 왕비 등 윗사람을 죽이는 것

예 백성들은 명성 황후 ❶ [   ] 사건으로 울분에 싸였다.

공사관

국가를 대표하여 파견되는 외교관이 사무를 보는 곳

(외교관: 정부의 지시를 받아 외국에 파견되어 일하는 공무원)

예 고종은 일본의 만행을 피해 러시아 ❷ [   ] 으로 거처를 옮겼다.

정답 ❶ 시해 ❷ 공사관

나라의 이름이 바뀌었대!

용어 체크

환구단

황제가 하늘에 제사를 지내고자 둥글게 쌓은 단

예 1897년 고종은 ❶ ______ 에서 황제로 즉위했다.

즉위: 임금의 자리에 오름.

▲ 오늘날의 환구단

정답 ❶ 환구단

1일 개념 익히기

1 청일 전쟁 이후 조선에서는 어떤 일이 벌어졌을까?

아관 파천 이후로 조선에서 일본의 입지가 축소되고 러시아의 영향력이 커지게 돼.

고종과 명성 황후는 일본의 정치적 간섭을 막고 러시아 세력을 끌어들이려 했음.

을미사변(1895년)

일본이 경복궁에 침입해 명성 황후를 시해했음.

아관 파천(1896년)

고종은 자신의 안전을 지키고 일본의 영향력을 벗어나고자 러시아 공사관으로 피했음.

일본의 정치적 간섭을 막으려던 ❶(흥선 대원군 / 명성 황후)이/가 시해되고 고종이 러시아 공사관으로 거처를 옮겼습니다.

거처: 일정한 기간 동안 살거나 묵는 장소

2 조선이 독립을 위해 했던 노력은 무엇일까?

『독립신문』 창간

▲ 『독립신문』

서재필은 정부의 지원으로 『독립신문』을 창간해 나라 안팎의 소식을 백성들에게 알리고 자주독립을 강조했음.

독립 협회 설립

▲ 독립문

독립문을 건설하고, **만민 공동회**를 개최해 누구나 사회의 문제에 말할 수 있게 했음.

조선이 자주국임을 알리기 위해 『❷(독립 / 황성)신문』을 창간하고 독립 협회를 설립했습니다.

3 고종이 자주독립과 근대화를 위해 했던 일은 무엇일까?

환구단에서 황제 즉위식을 한 의미

대한 제국이 서양과 일제의 간섭에서 벗어난 **자주독립국**임을 보여 주기 위해

나 고종은 이곳 환구단에서
황제로 즉위하고
대한 제국을 선포하노라!

추진한 개혁

- 여러 가지 근대 시설을 마련했음.
- 학교를 세워 인재를 양성했음.
- 공장과 회사 설립을 지원했음.

한계

황제의 권리를 지나치게 강화하고 국민의 권리를 제대로 보장하지 못했음.

☑ **황제로 즉위하고 ❸(대한 제국 / 대한민국)을 선포했으며, 사회 여러 분야에 걸쳐 근대적인 개혁을 추진했습니다.**

정답 ❶ 명성 황후 ❷ 독립 ❸ 대한 제국

개념 체크

정답과 풀이 13쪽

1 고종은 을미사변 이후 ☐☐☐ 공사관으로 거처를 옮겼습니다.

2 독립 협회는 ☐☐ 공동회를 열어 누구나 사회 문제를 논할 수 있게 했습니다.

3 고종은 ☐☐☐에서 황제로 즉위하고 대한 제국을 선포했습니다.

보기
- 프랑스
- 러시아
- 양반
- 만민
- 환구단
- 독립문

1일 개념 확인하기

정답과 풀이 13쪽

1 청일 전쟁 이후 조선에서 일어난 일로 알맞은 것을 보기에서 찾아 기호를 쓰시오.

보기
㉠ 명성 황후가 일본에 의해 시해되었습니다.
㉡ 아관 파천으로 조선에서 일본의 영향력이 더 커지게 되었습니다.

( )

2 을미사변 이후 고종이 거처를 옮긴 곳은 어디입니까? ( )

① 일본 ② 환구단 ③ 강화도
④ 미국 공사관 ⑤ 러시아 공사관

3 다음의 검색 결과에서 □ 안에 들어갈 알맞은 말은 어느 것입니까? ( )

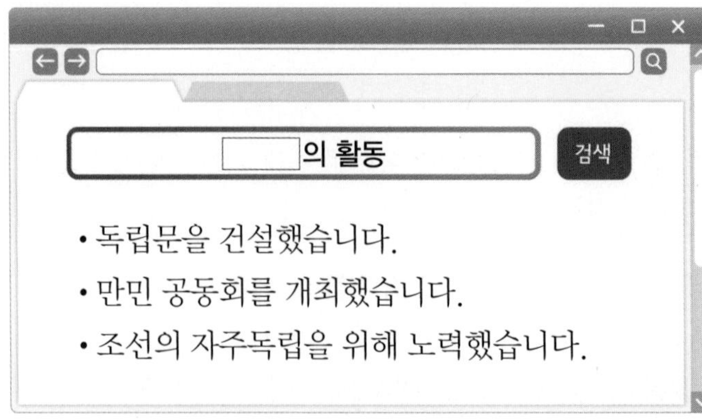

① 의병 ② 독립군 ③ 독립 협회
④ 온건 개화파 ⑤ 동학 농민군

4 대한 제국의 개혁이 가지는 한계점으로 알맞은 것을 두 가지 고르시오. (,   )

① 일본의 힘에 의지했다.
② 학교를 세워 인재를 양성했다.
③ 근대적 시설을 설치하지 않았다.
④ 황제의 권리를 지나치게 강화했다.
⑤ 국민의 권리를 제대로 보장하지 못했다.

집중 연습 문제 대한 제국의 선포

5 고종이 황제로 즉위하고 대한 제국을 선포한 다음의 장소는 어디인지 보기 에서 찾아 쓰시오.

보기
• 첨성대
• 환구단

(   )

5번의 답이 아닌 다른 보기는 어느 시대에 만들어진 건지 써 보자.

◯◯

6 위 **5**번 답의 장소에서 고종이 대한 제국을 선포한 까닭으로 알맞은 것은 어느 것입니까? (   )

① 서양과의 통상을 거부하기 위해
② 외국의 세력을 끌어들이기 위해
③ 모두가 평등한 세상을 만들기 위해
④ 백성의 자유로운 경제 활동을 돕기 위해
⑤ 대한 제국이 자주독립국임을 보여 주기 위해

이제 조선이 아니고 대한 제국이 되었어.

2일 나라를 지키기 위한 노력

단발령에 분노해 의병이 일어나다.

용어 체크

단발령
을미사변 이후 강제로 백성들의 머리를 깎게 한 명령

예 전국에 ❶ [   ] 이 내리자 선비들이 들고일어났다.

의병
나라를 구하기 위해 백성들이 자발적으로 조직한 군대 또는 그 병사

예 일본을 몰아내기 위해 전국적으로 ❷ [   ] 이 일어났다.

정답 ❶ 단발령 ❷ 의병

고국을 떠나 독립운동을 한 까닭은 무엇일까?

용어 체크

토지 조사 사업

일제가 우리나라의 토지를 빼앗으려고 벌인 대규모 토지 조사

예 일제는 ❶ [ ] 조사 사업을 통하여 농민들로부터 토지를 불법적으로 빼앗았다.

흥사단

안창호가 미국 샌프란시스코에 세운 민족 운동 단체

예 안창호는 ❷ [ ] 을 세우고 국내외에 지부를 설립해 실력 양성 운동에 힘썼다.

지부: 본부의 관리 아래 일정한 지역에 설치하여 그 지역의 사무를 맡아보는 곳

정답 ❶ 토지 ❷ 흥사단

4주

2일 개념 익히기

1 을사늑약과 항일 의병 운동에 대해 알아볼까?

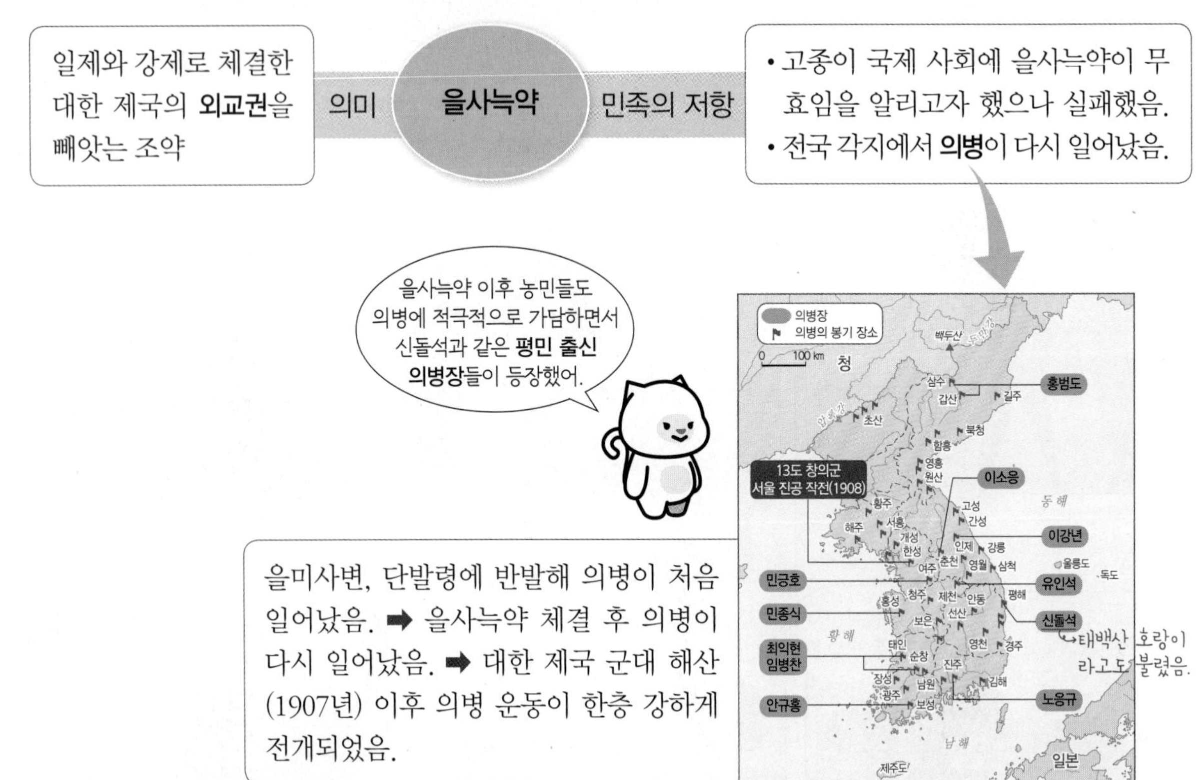

☑ 을사늑약으로 대한 제국의 ❶(외교권 / 사법권)을 빼앗긴 후, 전국적인 항일 의병 운동이 일어났습니다.

2 나라를 지키기 위한 독립운동가들의 노력을 알아볼까?

안중근

1909년 하얼빈역에서 우리나라를 빼앗는 데 앞장선 이토 히로부미를 저격했음.

(저격: 몰래 숨어서 총을 쏘는 것)

이회영

만주에 **신흥 강습소**를 설립해 많은 독립운동가와 항일 독립군을 키워 냈음.

(신흥 강습소: 후에 신흥 무관 학교로 바뀜.)

안창호

민족의 실력을 양성하려고 평양에 **대성 학교**, 미국에 **흥사단**을 세웠음.

(양성: 길러서 발전시킴.)

☑ 안중근은 이토 히로부미를 저격했고, ❷(이회영 / 안창호)은/는 흥사단을 조직했습니다.

3 3·1 운동에 대해 알아볼까?

개념 동영상

❶ 제1차 세계 대전이 끝나고 전쟁에서 진 나라들의 식민지 국가들이 독립하게 되었음.

❷ 한국인들은 이런 상황을 독립의 좋은 기회로 생각했음.

❸ **1919년 3월 1일**, 민족 대표들은 독립 선언식을 했고, 같은 시각 시민들은 탑골 공원에 모여 만세 시위를 벌였음.

만세 시위를 하다가 잡힌 유관순도 고문을 받아 18세의 나이로 목숨을 잃었어.

❹ 만세 시위는 전국적으로 퍼져 나갔고, 국외에서도 만세 시위가 일어났음.

제암리 학살 사건
일제는 만세 시위에 참여했던 경기도 화성 제암리 사람들을 교회에 모아 놓고 무자비하게 학살했음.

학살: 가혹하게 마구 죽임.

❺ 제암리 학살 사건 등 일제는 만세 시위를 잔인하게 진압했음.

3·1 운동은 1919년 3월 1일에 일어난 전국적인 항일 독립운동입니다.

정답 ❶ 외교권 ❷ 안창호

개념 체크

정답과 풀이 13쪽

1 대한 제국은 □□□□으로 일제에 외교권을 빼앗겼습니다.

2 을사늑약 이후에는 신돌석과 같은 □□ 출신 의병장들이 등장했습니다.

3 일제는 3·1 운동을 □□했습니다.

보기
- 을미사변
- 을사늑약
- 귀족
- 평민
- 탄압
- 지지

4주

2일 개념 확인하기

정답과 풀이 13쪽

빠른 정답 보기

1 을사늑약에 대한 설명으로 알맞은 것은 어느 것입니까? (   )

① 조선과 중국이 맺은 조약이다.

② 일제에 의해 강제로 체결되었다.

③ 조선이 외국과 맺은 최초의 조약이다.

④ 대한 제국의 외교권과 사법권을 빼앗겼다.

⑤ 고종은 을사늑약이 무효임을 국제 사회에 알리는 데 성공했다.

[2~3] 다음은 항일 의병 운동과 관련된 지도입니다.

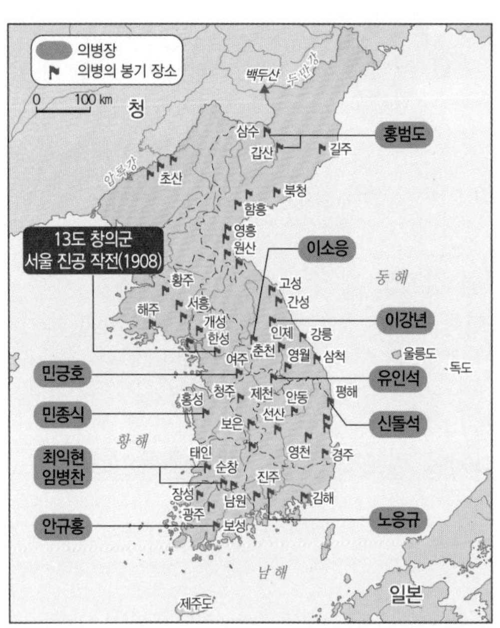

2 위 지도를 보고 알 수 있는 것을 바르게 말한 어린이를 쓰시오.

> 윤주 : 모두 을사늑약 이전에 일어난 의병들이야.
> 경수 : 항일 의병이 전국적으로 일어났음을 알 수 있어.

(   )

3 '태백산 호랑이'라는 별명을 얻었던 평민 출신 의병장을 위 지도에서 찾아 쓰시오.

(   )

4 오른쪽 인물에 대한 설명으로 알맞은 것은 어느 것입니까? (　　　　)

▲ 안중근

① 『독립신문』을 창간했다.
② 평민 출신의 의병장이다.
③ 이토 히로부미를 저격했다.
④ 토지 조사 사업을 시행했다.
⑤ 을사늑약을 강제로 체결했다.

5 3·1 운동에 대한 설명으로 알맞은 것을 보기에서 찾아 기호를 쓰시오.

보기
㉠ 전국적으로 일어났던 운동입니다.
㉡ 일제는 3·1 운동을 강하게 탄압하지 못했습니다.

(　　　　　　　　)

똑똑한 하루 퀴즈

6 다음 글을 읽고, □ 안에 들어갈 숫자를 차례대로 나열해 상자의 비밀번호를 풀어 보세요.

191□년 □월 □일, 종교계 인사들을 중심으로 한 민족 대표들의 독립 선언식을 시작으로 만세 시위가 벌어졌습니다.

일제의 탄압에도 만세 시위는 전국적으로 퍼져 나갔고, 국외에서도 만세 시위가 일어났습니다.

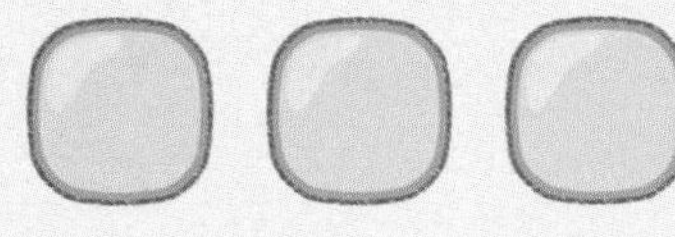

3일 다양한 독립운동

독립을 위해 임무를 수행하라!

용어 체크

한인 애국단

대한민국 임시 정부에서 일본의 주요 인물을 암살하려는 목적으로 조직한 항일 독립운동 단체

예 윤봉길의 상하이 의거는 ❶ [   ] 의 대표적인 활동이었다.

의거: 정의를 위하여 일으킨 사회적으로 중요한 일

한인 애국단원 윤봉길 ▶

정답 ❶ 한인 애국단

우리의 민족정신을 지켜야만 해!

4주

용어 체크

신사

일본 왕실의 조상이나 국가에 큰 공로를 세운 사람을 신으로 모신 사당

예 일제는 우리의 민족정신을 훼손하려고 ❶ ______ 참배를 강요했다.

왜곡

사실과 다르게 해석하거나 그릇되게 함.

예 신채호의 『조선 상고사』는 우리 역사를 ❷ ______ 하던 일본인들의 주장을 반박했다.

정답 ❶ 신사 ❷ 왜곡

3일 개념 익히기

1 대한민국 임시 정부는 어떤 일을 했을까?

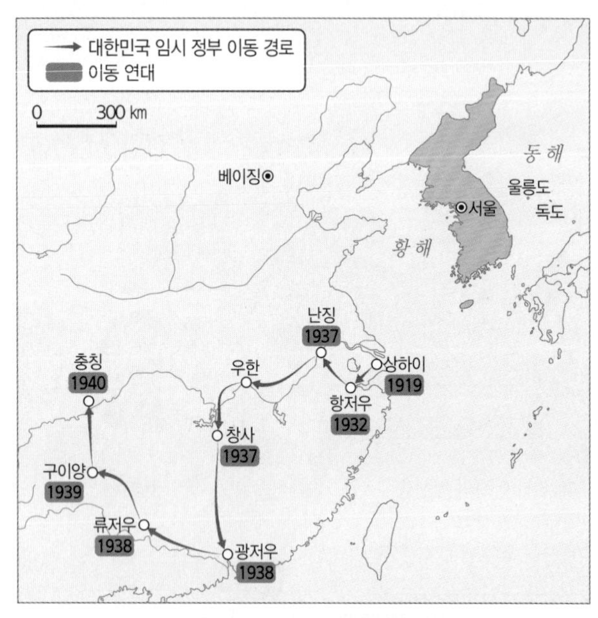

▲ 대한민국 임시 정부의 이동 경로

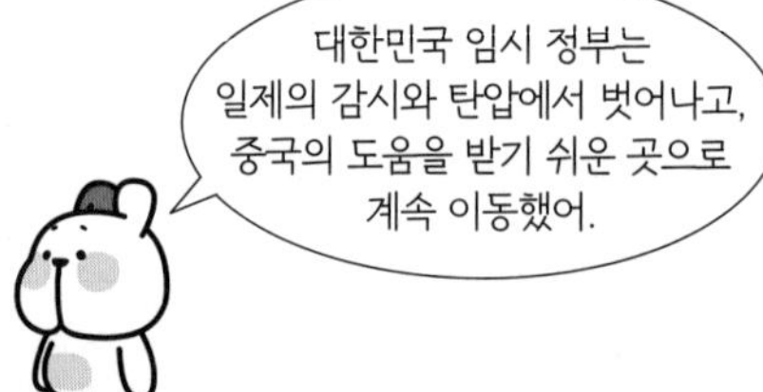

대한민국 임시 정부는 일제의 감시와 탄압에서 벗어나고, 중국의 도움을 받기 쉬운 곳으로 계속 이동했어.

대한민국 임시 정부

- 수립 : 1919년 중국 상하이에 수립되었음.
- 활동
  - 국내의 독립운동을 지휘했음.
  - 한인 애국단과 한국광복군을 조직했음.
  - 독립 자금을 모으고 다른 나라와 외교 활동을 했음.

독립 자금을 모으고 외교 활동을 했으며, 한인 애국단과 한국광복군을 만드는 등 **체계적인 독립운동**을 했습니다.

2 독립군 부대는 일본군을 상대로 어떻게 승리했을까?

▲ 홍범도 장군

▲ 봉오동 전투와 청산리 대첩이 발생한 지역

▲ 김좌진 장군

독립군이 승리할 수 있었던 까닭

- 전술이 뛰어났고, 유리한 지형을 미리 점령하고 있었음.
- 승리와 독립에 대한 열망이 더 컸음.

싸움에 ❶(유리 / 불리)한 지형과 전술을 이용해 일본군을 크게 무찌를 수 있었습니다.

3 민족정신을 지키기 위한 다양한 노력에는 무엇이 있을까?

1930년대 이후 일본은 우리나라의 역사를 왜곡하고 일본어를 쓰도록 강요했어.

신채호

▲『조선 상고사』

우리 민족의 우수성을 알리고 독립 의지를 고취하고자 『조선 상고사』 등 우리 역사를 소개하는 책을 펴냈음.

고취: 어떤 사상을 가지도록 힘써 권하는 것

여러 문인들

▲ 이육사 동상과 시비

한용운, 이육사 등의 문인들은 꺾이지 않는 민족정신을 작품에 담았음.

조선어 학회

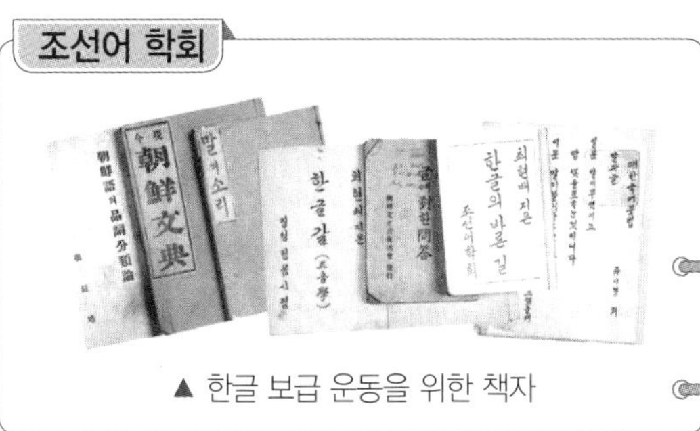

▲ 한글 보급 운동을 위한 책자

우리글의 가치를 알리고자 한글을 보급하고 사전을 편찬하는 데 힘썼음.

우리의 역사를 소개하거나 ❷(한글 / 일본어)을/를 보급하고, 문학 작품에 독립 의지를 담았습니다.

정답 ❶ 우리 ❷ 한글

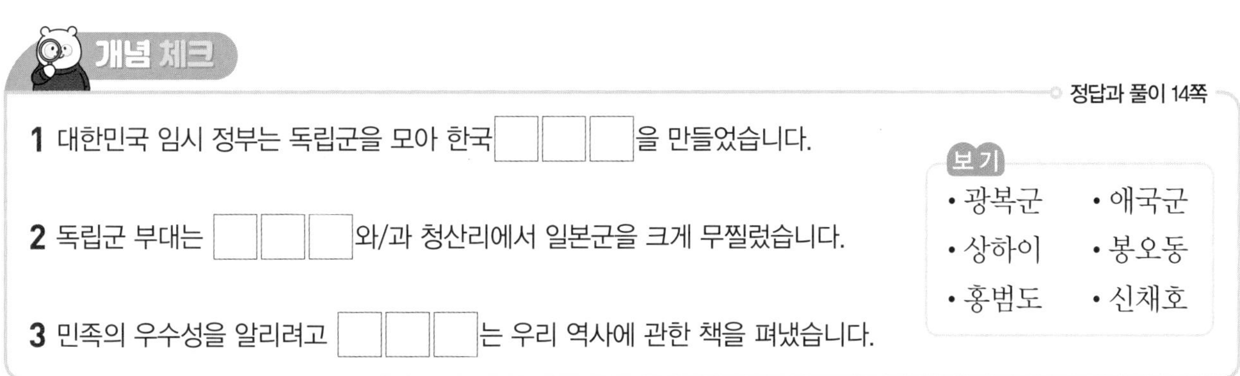

개념 체크

정답과 풀이 14쪽

1 대한민국 임시 정부는 독립군을 모아 한국□□□을 만들었습니다.

2 독립군 부대는 □□□와/과 청산리에서 일본군을 크게 무찔렀습니다.

3 민족의 우수성을 알리려고 □□□는 우리 역사에 관한 책을 펴냈습니다.

보기
- 광복군
- 애국군
- 상하이
- 봉오동
- 홍범도
- 신채호

정답과 풀이 14쪽

[1~2] 다음은 대한민국 임시 정부의 이동 경로를 나타낸 지도입니다.

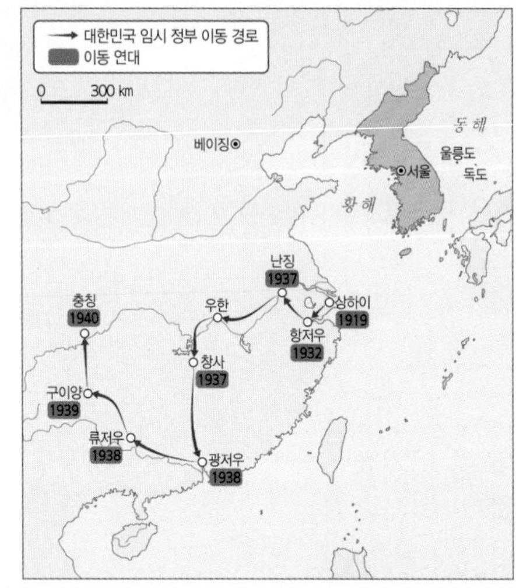

1 여러 임시 정부를 통합한 대한민국 임시 정부를 처음 세운 위치는 어디입니까? (　　　　)

① 충칭　② 상하이　③ 강화도
④ 광저우　⑤ 항저우

2 대한민국 임시 정부가 위와 같이 계속해서 이동했던 까닭을 보기 에서 찾아 기호를 쓰시오.

보기
㉠ 일제의 감시와 단압에서 벗어나기 위해
㉡ 일제의 도움을 받기 쉬운 곳으로 가기 위해

(　　　　　　　　)

3 대한민국 임시 정부가 한 일로 알맞지 않은 것은 어느 것입니까? (　　　　)

① 독립 자금을 모았다.
② 한국광복군을 만들었다.
③ 한인 애국단을 조직했다.
④ 국내의 독립운동을 지휘했다.
⑤ 영은문을 헐고 독립문을 세웠다.

4 오른쪽 지도의 □ 안에 공통으로 들어갈 인물은 누구입니까? (　　　　)

① 안중근　　② 신돌석
③ 홍범도　　④ 윤봉길
⑤ 이육사

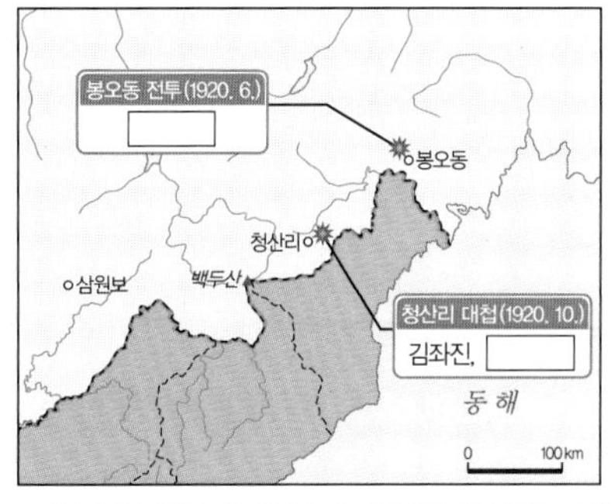

▲ 봉오동 전투와 청산리 대첩이 발생한 지역

5 나라를 되찾기 위해 노력했던 독립운동가들에 대해 알맞게 말한 어린이를 쓰시오.

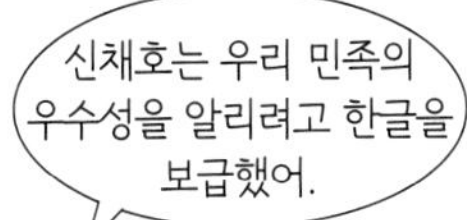

신채호는 우리 민족의 우수성을 알리려고 한글을 보급했어.

◀ 선영

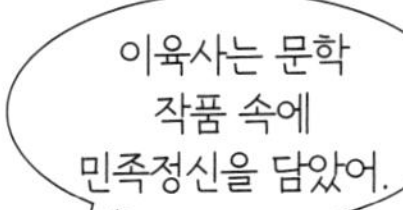

이육사는 문학 작품 속에 민족정신을 담았어.

◀ 지후

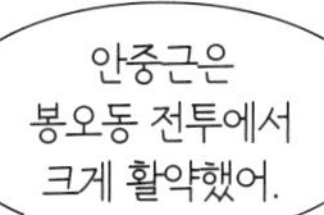

안중근은 봉오동 전투에서 크게 활약했어.

◀ 현아

(　　　　　　　　)

똑똑한 하루 퀴즈

6 다음은 '민족정신을 지키고자 했던 노력'을 주제로 발행된 기념우표들입니다. 조선어 학회와 관련 있는 우표를 찾아 ○표를 하세요.

『조선 상고사』

3·1 독립 선언서

한글 보급 운동을 위한 책자

4일 대한민국 정부의 수립과 6·25 전쟁

한반도는 어떻게 둘로 나뉘었을까?

1945년 8월 15일.
일본이 항복하면서 대한민국이 독립했다.

착

착

광복 이후, 38도선을 기준으로 남쪽에는
미국, 북쪽에는 소련이 주둔하게 된다.

소련

우린 독립했는데
왜 외국 군인이 머물러?

너희 땅에
아직 일본군이 남아
있잖아.

미국

일본군을 모조리
무장 해제시키려면
우리가 있어야 해.

얘네 식민지로 지냈잖아.
제대로 나라를 꾸려 나갈 수 있을까?

모스크바 3국
외상 회의

소련

영국

미국

정부가 들어설 때까지
5년간 **신탁 통치**를
해야겠군.

수고했어!

아무리 과제 때문이라고는
하지만 알면
알수록 속이 상해!

한반도의 주인은 우리인데
다른 나라들끼리만
모든 걸 결정하다니!

그런데 저번에 우리랑
같이 다녔던 아저씨는
이번엔 안 나오네.

그런 인물 없다니까.
뭐가 잘못됐나?

한편, 도범은

난 국보를 훔쳐 팔아먹는 악당인데,
어째서 자꾸 애국심이 생기지?
가상 현실에 너무 오래 머물렀나?

용어 체크

모스크바 3국 외상 회의

미국·영국·소련이 제2차 세계 대전 이후 문제를 처리하기 위해 모스크바에서 개최한 회의

예 1945년에 열린 ❶ ______ 에서 한반도의 신탁 통치가 결정되었다.

신탁 통치

특정 국가가 다른 나라의 일정 지역을 대신 통치하는 제도

예 한반도의 임시 정부 수립을 돕고자 미국, 소련 등이 ❷ ______ 를 하려고 했다.

정답 ❶ 모스크바 3국 외상 회의 ❷ 신탁 통치

정식 회원이 되기 위한 마지막 과제

1950년 6월 25일 소련의 도움으로 군사력을 키운 북한이 남한을 무력으로 침략했어요.
6·25 전쟁
이것이 6·25 전쟁의 시작이었습니다.

많은 사람이 다치거나 죽었고, 안전한 곳으로 피란했어요.
국토는 황폐해졌고 모든 것이 파괴되었죠.

그리고 1953년 7월 27일 판문점에서 정전 협정이 체결되면서 휴전이 결정되었답니다.

과제 수행률 100%에다가 발표도 합격해서 승급 시험에 통과했어.

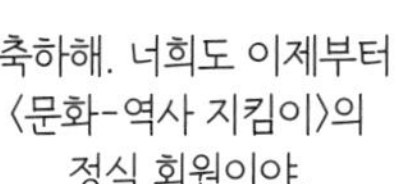

축하해. 너희도 이제부터 〈문화-역사 지킴이〉의 정식 회원이야.

아! 신입 회원 예비 접수 받나 보다!
접수
뒷모습이 눈에 익은데…….

옛날 생각난다. 우리도 저랬는데.
모두 합격했으면 좋겠다.
이젠 도둑질 안 해! 나도 우리 문화와 역사의 지킴이가 될 테다!
열공

용어 체크

피란

전쟁 등 난리를 피해 안전한 곳으로 옮겨 가는 것

예 전쟁이 나자 사람들은 ❶ [　　] 을 갔다.

▲ 천막 학교에서 수업을 듣는 피란민들

정전

전쟁 중인 나라들이 서로 합의해 일시적으로 전투를 중단하는 일

예 우리나라는 1953년에 ❷ [　　] 협정을 맺었다.

협정: 중요한 문제에 대해 여럿이 의논하여 어떻게 하기로 결정하는 것

정답 ❶ 피란 ❷ 정전

4주

4일 개념 익히기

1 8·15 광복과 한반도 분단 과정을 알아볼까?

광복(1945년 8월 15일)

제2차 세계 대전 중 연합국이 일본과의 전쟁에서 승리하면서 광복을 맞이했음.

일본군의 무장 해제를 위해 38도선 남쪽에는 미군이, 북쪽에는 소련군이 주둔했음.

모스크바 3국 외상 회의에서 최대 5년간의 신탁 통치를 결정했음.

신탁 통치에 반대하는 사람들과 찬성하는 사람들 간의 갈등이 일어났음.

임시 정부 구성 방법을 논의하기 위해 미소 공동 위원회가 열렸지만 합의하지 못했음.

미국은 한국의 문제를 **국제 연합**에 넘겼음.

광복 이후 38도선을 경계로 미국과 [1](중국 / 소련)이 주둔했고, 한반도 문제에 대한 합의가 이루어지지 못해 한반도가 분단되었습니다.

2 대한민국 정부는 어떻게 수립되었을까?

국제 연합이 남북한 총선거로 통일 정부를 수립하기로 결정했음.

소련의 반대로 남한만의 총선거가 결정되었음.

정부 수립 과정에서 나온 주장

남쪽만이라도
임시 정부 같은 것을
조직합시다.
▲ 이승만

우리의 자주독립적
통일 정부를 수립
해야 합니다.
▲ 김구

5·10 총선거 (남녀 모두 투표에 참여했음.)
국회 의원을 뽑는 첫 번째 민주 선거가 실시되었음(1948년 5월 10일).

제헌 헌법 공포
선거로 구성된 제헌 국회에서 헌법이 통과되었음(1948년 7월 17일).

초대 대통령 선출
제헌 국회 의원들이 이승만을 초대 대통령으로 선출했음.

대한민국 정부 수립
민족의 오랜 염원이었던 독립 정부를 수립했음(1948년 8월 15일).
(염원: 늘 간절히 생각하고 바라는 것)

5·10 총선거, 제헌 국회를 통해 1948년 8월 15일에 대한민국 정부가 수립되었습니다.

3 6·25 전쟁은 어떻게 전개되었을까?

개념 동영상

❶ 북한이 무력 통일을 위해 남침했고, 국군은 낙동강 이남까지 후퇴했음(1950년).

인천 상륙 작전으로 전쟁의 상황이 우리나라에 유리하게 됐어.

❷ **인천 상륙 작전**을 계기로 국군과 국제 연합군이 압록강까지 진격했음.

▲ 인천 상륙 작전

서로 친한 관계에 있는 나라

미국의 우방국인 대한민국과 국경을 맞대는 것이 중국에게 위협이 된다고 생각했기 때문에 중국군이 개입했어.

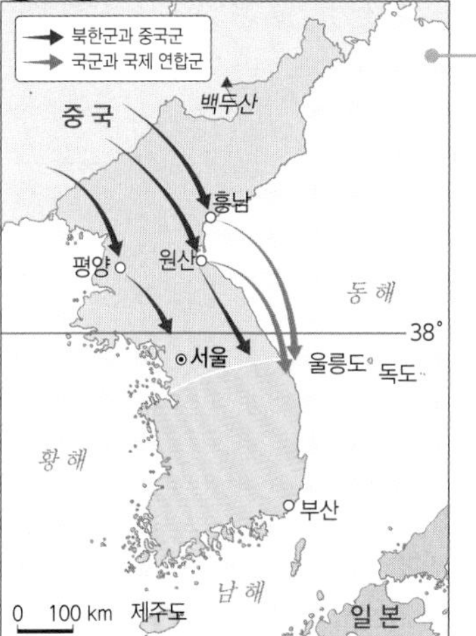

자신과 직접적인 관계가 없는 일에 끼어듦.

❸ **중국군의 개입**으로 국군과 국제 연합군이 후퇴했음.

전쟁을 하다가 얼마 동안 군사 행동을 멈추기로 하는 것

❹ 정전 협정 끝에 휴전이 결정되었음(1953년).

6·25 전쟁의 피해

- 많은 군인과 민간인이 죽었음.
- 이산가족과 전쟁고아가 생겨났음.
- 국토가 황폐해지고, 많은 문화재가 파괴되었음.

북한군의 남침으로 시작된 6·25 전쟁은 많은 ❷(이익 / 피해)을/를 남기고 1953년에 휴전되었습니다.

정답 ❶ 소련 ❷ 피해

개념 체크

정답과 풀이 14쪽

1 남한만의 단독 정부 수립을 주장한 사람은 ☐☐☐입니다.

2 5·10 총선거는 국회 의원을 뽑는 ☐ 번째 민주 선거였습니다.

3 6·25 전쟁은 ☐☐군의 남침으로 시작되었습니다.

보기

• 여운형	• 이승만
• 첫	• 두
• 소련	• 북한

4 주

4일 개념 확인하기

정답과 풀이 14쪽

1 모스크바 3국 외상 회의에서 결정한 내용으로 알맞은 것은 어느 것입니까? (   )

① 정전 협정　② 신탁 통치 실시　③ 우리나라의 독립
④ 초대 대통령 선거　⑤ 남한만의 선거 실시

2 대한민국 정부 수립 과정에서 이승만과 김구의 주장을 알맞게 선으로 연결하시오.

(1) 
▲ 이승만
• 　• ㉠ 통일 정부 수립

(2) 
▲ 김구
• 　• ㉡ 단독 정부 수립

3 5·10 총선거에 대한 설명으로 알맞은 것은 어느 것입니까? (   )

① 남북한에서 동시에 실시했다.
② 남자만 선거에 참여할 수 있었다.
③ 우리나라의 첫 번째 민주 선거였다.
④ 대한민국 정부 수립 이후에 실시되었다.
⑤ 이 선거에서 이승만이 대통령으로 뽑혔다.

4 대한민국 정부 수립 과정에서 가장 나중에 일어난 일을 찾아 ○표를 하시오.

(1)

▲ 제헌 국회에서의 헌법 공포

(　　　　　　　　)

(2)

▲ 5·10 총선거

(　　　　　　　　)

(3)

▲ 대한민국 정부 수립 국민 축하식

(　　　　　　　　)

집중 연습 문제 6·25 전쟁

5 6·25 전쟁의 상황이 우리나라에 유리하게 된 사진 속 사건을 보기에서 찾아 기호를 쓰시오.

보기
㉠ 중국군의 개입
㉡ 북한군의 남침
㉢ 정전 협정 체결
㉣ 인천 상륙 작전

(　　　　　　　　)

6·25 전쟁의
전개 과정을
잘 알아두자.

6 오른쪽 사진을 보고 알 수 있는 6·25 전쟁의 피해는 무엇입니까? (　　　　)

① 많은 군인이 죽었다.
② 건물들이 새로워졌다.
③ 많은 문화재가 파괴되었다.
④ 많은 사람들이 돈을 벌었다.
⑤ 피란민들의 생활이 어려워졌다.

▲ 6·25 전쟁 이후의 덕수궁

6·25 전쟁 직후
폐허가 된 서울 중앙청의
모습이야.

5일 4주 마무리하기

1 대한 제국

① 선포 : 고종은 환구단에서 황제로 즉위했으며, 대한 제국을 선포했습니다(1897년).

② 대한 제국이 추진한 근대적 개혁

추진한 개혁	• 여러 가지 근대 시설을 마련했음. • 외국에 유학생을 보내 기술을 습득하게 했음.
한계	• 황제의 권리를 지나치게 강화했음. • 국민의 권리를 제대로 보장하지 못했음.

고종은 대한 제국이 자주적인 국가임을 보여 주기 위해 환구단에서 황제 즉위식을 했어.

2 을사늑약(1905년)

체결	이토 히로부미는 외교권을 빼앗는 조약을 강제로 체결했음(을사늑약).
우리 민족의 저항	• 전국 각지에서 의병이 일어났음. • 고종은 을사늑약이 무효임을 국제 사회에 알리려고 했으나 실패했음. • 을사늑약의 체결에 반대해 목숨을 끊거나 부당함을 신문에 알렸음.

3 광복을 위한 노력

우리 민족의 독립하려는 노력 덕분에 1945년 8월 15일에 광복을 맞이하게 돼.

① 3·1 운동(1919년)

- 민족 대표들이 독립 선언서를 작성하고 독립 선언식을 했습니다.
- 만세 시위는 전국적으로 퍼져 나갔습니다.
- 일제는 만세 시위를 잔인하게 진압했습니다.

② 대한민국 임시 정부의 수립(1919년)

수립	독립을 위한 힘을 하나로 모으기 위해 중국 상하이에 수립되었음.
활동	• 독립 자금을 모으고 외교 활동을 했음. • 한인 애국단과 한국광복군을 조직했음.

▲ 3·1 운동이 일어난 지역

4 대한민국 정부의 수립(1948년)

과정	5·10 총선거 ➡ 제헌 헌법 공포 ➡ 초대 대통령 선출 ➡ 대한민국 정부 수립
역사적 의미	• 대한민국 임시 정부의 전통을 이었음. • 우리 민족의 오랜 염원이었던 독립 정부를 수립했음.

5 6·25 전쟁(1950년)

① 과정

북한군의 남침 ➡ 국군과 국제 연합군의 반격 ➡ 중국군의 개입 ➡ 전선의 고착과 휴전

② 피해

전쟁으로 인해 군인뿐만 아니라 민간인들도 많은 피해를 입었어.

이산가족 발생

피란민 발생

문화유산의 파괴

1907년에 전국에서 의병 운동이 거세게 일어났다는데, 그 이유가 무엇일까?

고종이 강제로 물러나고 대한 제국의 군대가 강제로 해산되었기 때문이야. 군인들이 합류하면서 의병 운동이 한층 더 강하게 전개되었지.

그렇다면 항일 의병 운동은 어떻게 끝났어?

일제의 탄압으로 결국 실패하고 말았어.
그리고 살아남은 의병들은 만주나 연해주로 이동해서 의병 투쟁을 이어나갔어.

4 주

5일 4주 마무리하기

1일 자주독립과 근대화를 위한 노력

1 을미사변에 대한 설명으로 알맞은 것은 어느 것입니까? (　　　)

① 일제가 명성 황후를 시해한 사건이다.
② 새로운 국가를 만들려는 개혁 시도였다.
③ 미국이 조선을 침략했던 사건을 말한다.
④ 아관 파천의 영향으로 발생한 사건이다.
⑤ 우정총국 개국 축하 잔치를 틈타 일어났다.

2 조선이 자주국임을 알리기 위해 한 일에 ○표를 하시오.

(1) 
▲ 강화도 조약 체결
(　　　)

(2) ▲ 영은문 건설
(　　　)

(3) ▲ 『독립신문』 창간
(　　　)

3 다음 글의 □ 안에 들어갈 알맞은 말을 보기에서 찾아 쓰시오.

독립 협회는 누구나 사회의 문제에 대해 자신의 생각을 말할 수 있는 □을/를 개최했습니다.

보기
- 3·1 운동
- 만민 공동회

(　　　)

2일 나라를 지키기 위한 노력

4 을사늑약과 관련하여 다음 □ 안에 들어갈 알맞은 말은 어느 것입니까? (　　　　)

> 고종이 완강히 거부했음에도 일제의 특사로 대한 제국에 온 이토 히로부미는 □을 빼앗는 조약인 을사늑약을 강제로 체결했습니다.

① 사법권　② 입법권　③ 행정권
④ 외교권　⑤ 참정권

4주

5 다음 항일 의병 운동에 대한 설명에서 알맞지 않은 것을 두 가지 찾아 기호를 쓰시오.

> ㉠ 을사늑약이 강제로 체결되자 ㉡ 서울에서만 의병이 일어났습니다. 특히 이때는 농민들도 적극적으로 참여하면서 ㉢ 신돌석과 같은 ㉣ 양반 출신 의병장들이 등장했습니다.

(　　　　,　　　　)

6 오른쪽 인물에 대한 설명으로 알맞은 것은 어느 것입니까? (　　　　)

① 3·1 운동을 탄압했다.
② 미국에 흥사단을 세웠다.
③ 만주에 신흥 강습소를 세웠다.
④ 독립 협회를 만들어 활동했다.
⑤ 단발령을 강제적으로 실시했다.

▲ 이회영

3일 다양한 독립운동

서술형

7 대한민국 임시 정부가 아래 지도와 같이 계속해서 이동했던 까닭을 쓰시오.

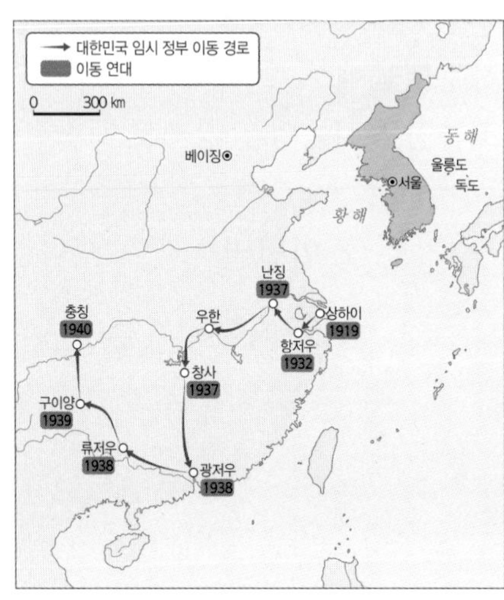

8 대한민국 임시 정부가 조직했던 단체를 보기에서 두 가지 찾아 기호를 쓰시오.

보기

㉠ 온건 개화파　　㉡ 한인 애국단　　㉢ 한국광복군

(,)

9 우리글의 가치를 알리고자 한글 보급과 사전 편찬에 힘쓴 단체는 어디입니까? ( )

① 독립 협회　② 신흥 강습소　③ 만민 공동회
④ 조선어 학회　⑤ 조선 건국 준비 위원회

4일 대한민국 정부의 수립과 6·25 전쟁

10 우리나라의 초대 대통령으로 선출된 사람은 누구입니까? (　　　　)

① 김구　② 안창호　③ 이회영
④ 이승만　⑤ 윤봉길

11 6·25 전쟁의 과정에서 가장 마지막에 일어난 일을 보기에서 찾아 기호를 쓰시오.

보기
㉠ 정전 협정 체결　㉡ 북한군의 남침
㉢ 인천 상륙 작전　㉣ 중국군의 개입

(　　　　　　　　)

4주

똑똑한 하루 퀴즈

12 사다리를 타고 내려가 □ 안에 들어갈, 해당 업적과 관련된 인물을 각각 쓰세요.

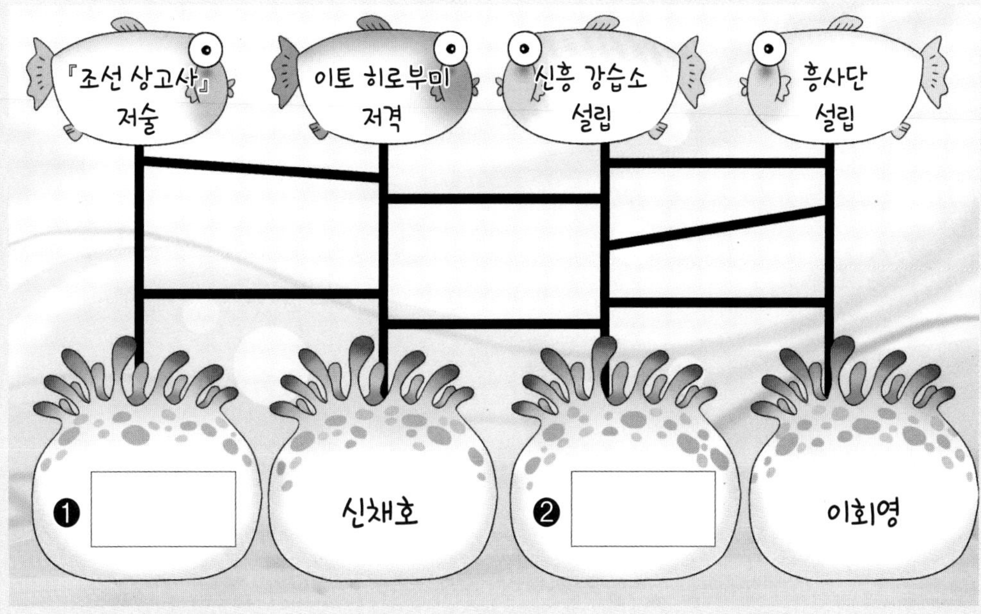

4주 누구나 100점 TEST

맞은 개수 /10개

1 다음 문을 세운 단체와 관련 있는 설명으로 알맞은 것은 어느 것입니까? (　　　)

▲ 독립문

① 갑신정변을 일으켰다.
② 한국광복군을 만들었다.
③ 한글로 사전을 편찬했다.
④ 만민 공동회를 개최했다.
⑤ 대한 제국의 외교권을 빼앗았다.

2 고종이 황제 즉위식을 했던 장소를 찾아 ○표를 하시오.

(1) ▲ 규장각 (　　　)
(2) ▲ 환구단 (　　　)

3 을사늑약이 체결된 이후 일어난 일로 알맞은 것을 보기에서 찾아 기호를 쓰시오.

보기
㉠ 전국 각지에서 의병이 일어났습니다.
㉡ 을사늑약이 무효임을 알리고자 했던 고종의 노력이 성과를 거두었습니다.

(　　　　　)

4 다음에서 설명하는 인물을 보기에서 찾아 쓰시오.

대한 제국을 일본의 식민지로 만드는 데 앞장선 이토 히로부미를 만주 하얼빈역에서 저격했습니다.

보기
• 김구　• 윤봉길　• 안중근

(　　　　　)

5 다음 내용과 관련된 사건으로 알맞은 것은 어느 것입니까? (　　　)

• 1919년 3월 1일　• 만세 시위

① 3·1 운동
② 6·25 전쟁
③ 동학 농민 운동
④ 강화도 조약 체결
⑤ 제1차 세계 대전

6 대한민국 임시 정부에 대한 설명으로 알맞지 않은 것은 어느 것입니까? (　　　　)

① 독립 자금을 모았다.
② 한 번도 이동하지 않았다.
③ 국내의 독립운동을 지휘했다.
④ 다른 나라와 외교 활동을 했다.
⑤ 중국 상하이에 처음 수립되었다.

7 청산리 대첩에서 독립군들이 일본군을 이길 수 있었던 까닭을 두 가지 고르시오.

(　　　,　　　)

① 전술이 뛰어났기 때문에
② 청의 도움을 받았기 때문에
③ 최신식 무기를 갖고 있었기 때문에
④ 독립군의 수가 훨씬 더 많았기 때문에
⑤ 유리한 지형을 미리 점령하고 있었기 때문에

8 다음에서 설명하는 독립운동가를 보기에서 찾아 쓰시오.

> 우리 민족의 우수성을 알리고 한국인들의 독립 의지를 고취하고자 우리의 역사를 소개하는 책을 펴냈습니다.

보기
• 신채호　　• 신윤복　　• 한용운

(　　　　　　　　)

9 대한민국 정부 수립 과정을 순서에 맞게 나열한 것은 어느 것입니까? (　　　　)

> ㉠ 5·10 총선거
> ㉡ 제헌 헌법 공포
> ㉢ 초대 대통령 선출
> ㉣ 대한민국 정부 수립

① ㉠ → ㉡ → ㉢ → ㉣
② ㉠ → ㉡ → ㉣ → ㉢
③ ㉡ → ㉠ → ㉣ → ㉢
④ ㉡ → ㉢ → ㉣ → ㉠
⑤ ㉣ → ㉡ → ㉠ → ㉢

10 다음과 같이 중국군이 6·25 전쟁에 개입한 까닭을 보기에서 찾아 기호를 쓰시오.

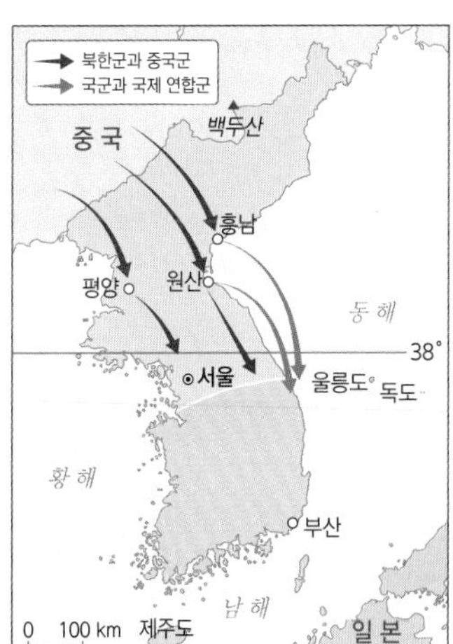

보기
㉠ 북한의 땅을 차지하고 싶었기 때문에
㉡ 미국의 우방국인 대한민국과 국경을 맞대는 것이 위협이 된다고 생각했기 때문에

(　　　　　　　　)

창의·융합·코딩

생활 속 사회

광복 이후 달라진 삶의 모습을 알아봅니다.

우리가 기억해야 할 기념일 - 광복절

오늘이 광복절이라
길가에 태극기가 걸려 있네.
광복절?

우리나라가 일본으로부터 해방된 것을
기념하는 날 맞지?
독립운동가들의 노력과
제2차 세계 대전에서 일본과 싸우던
연합국의 승리로 1945년 8월 15일에
광복을 맞이하게 됐어.

빼앗겼던 나라의 주권을 되찾았다니,
얼마나 기뻤을까?
대한 독립 만세!

광복 이후에는
무슨 일이 있었어?

우선 해외에서 활동하던
독립운동가들이 국내로 돌아왔어.

그리고 새로운 나라를 세우려고 노력했지.
참! 학생들의 생활도 많이 달라졌어.
우와~

학교에서 더 이상 일본어를
쓰지 않아도 되었겠다!
일본인 교사들이 우리의
소중한 역사를 왜곡하는
일도 없었겠지?

일본인 교사들은 일본으로 돌아갔고,
교실에서 일본과 관련된 것들이
모두 사라졌어.
광복절은 꼭 기억해야 할
역사적인 날이구나.
이 좋은 날을 그냥 보낼 수 없지.
맛있는 거 먹으면서
기념하러 가자!

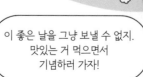

정답과 풀이 16쪽

1 광복 이후 달라진 사람들의 삶의 모습이 아닌 것을 모두 찾아 ○표를 하세요.

4주

사고 쑥쑥

우리나라의 근현대사와 관련된 내용을 살펴봅니다.

2 이번 주에 공부한 내용을 기억하며, 다음 십자말풀이를 해 보세요.

➡ 가로

❸ 대한민국 임시 정부에서 일본의 주요 인물을 암살하려는 목적으로 조직한 단체

❺ 상하이 훙커우 공원에서 폭탄을 던지는 의거를 실행했던 인물

❼ 독립 협회는 ○○ ○○○를 열어 누구나 사회의 문제에 대해 자신의 생각을 말할 수 있게 했음.

⬇ 세로

❶ 고종이 황제로 즉위했던 곳

❷ 아관 파천 이후 고종은 조선의 나라 이름을 ○○ ○○으로 바꾸었음.

❹ 우리나라의 초대 대통령

❻ 홍범도 장군은 ○○○ 전투와 청산리 대첩에서 크게 활약했음.

을사늑약 이후 대한 제국에서 일어난 일에 대해 알아봅니다.

3 지름길을 통해 친구네 집에 가려고 해요. ○✕ 퀴즈를 풀어 길을 잘 찾아갈 수 있게 도와주세요.

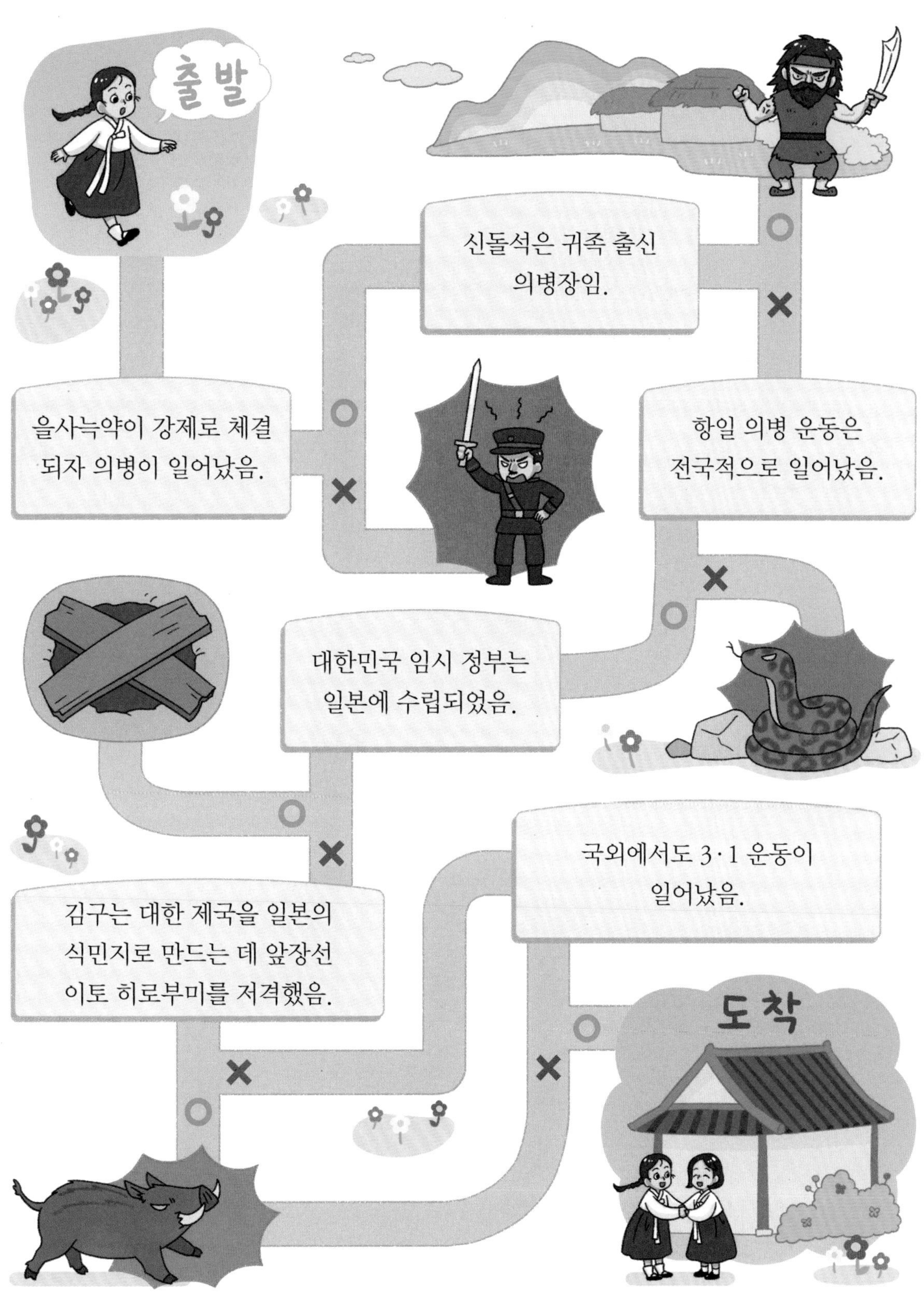

출발
신돌석은 귀족 출신 의병장임.
을사늑약이 강제로 체결되자 의병이 일어났음.
항일 의병 운동은 전국적으로 일어났음.
대한민국 임시 정부는 일본에 수립되었음.
국외에서도 3·1 운동이 일어났음.
김구는 대한 제국을 일본의 식민지로 만드는 데 앞장선 이토 히로부미를 저격했음.
도착
○
✕

우리나라의 근현대사 사건들의 순서를 알아봅니다.

4 다음과 같은 방법으로 듬이, 도기, 토리가 각자 있는 칸에서 코딩을 시작했을 때 도착한 칸에 있는 역사적 사건에 따라 다른 점수를 얻게 돼요. 가장 많은 점수를 얻는 친구의 이름을 쓰세요.

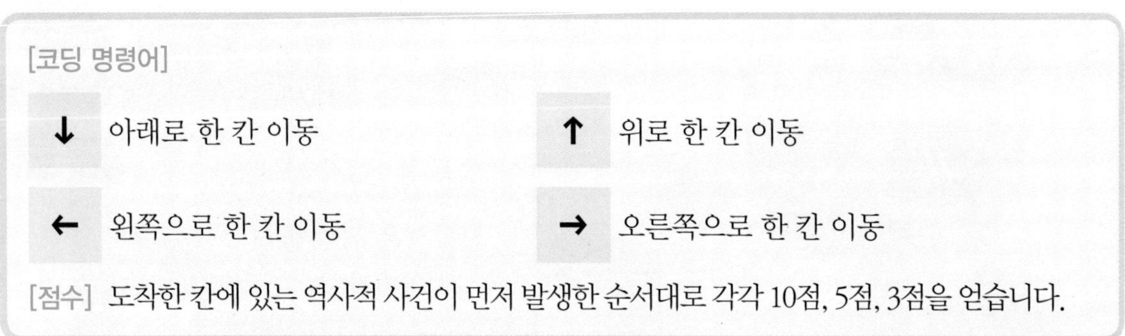

[코딩 명령어]

↓ 아래로 한 칸 이동　　↑ 위로 한 칸 이동

← 왼쪽으로 한 칸 이동　　→ 오른쪽으로 한 칸 이동

[점수] 도착한 칸에 있는 역사적 사건이 먼저 발생한 순서대로 각각 10점, 5점, 3점을 얻습니다.

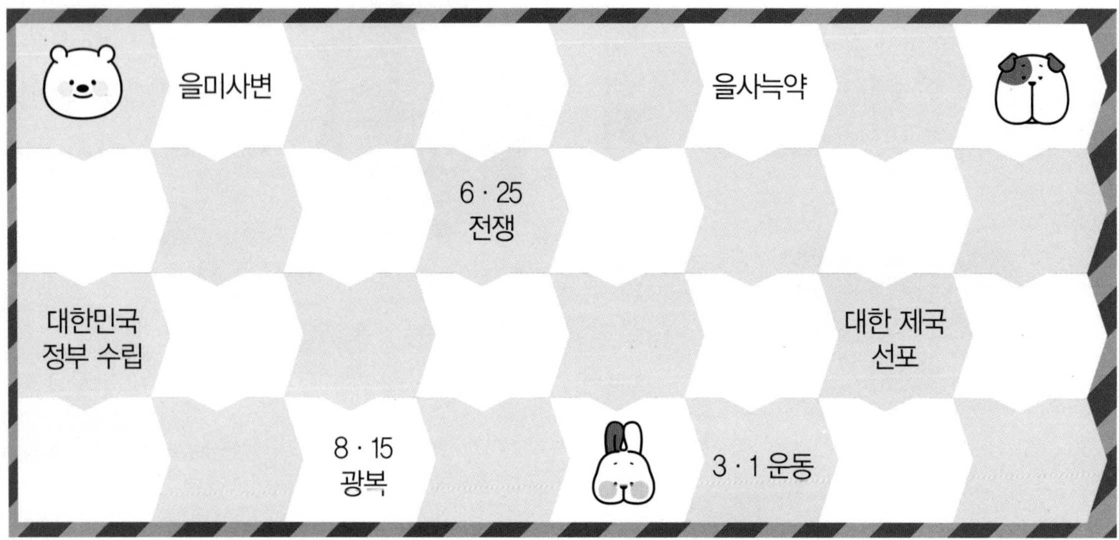

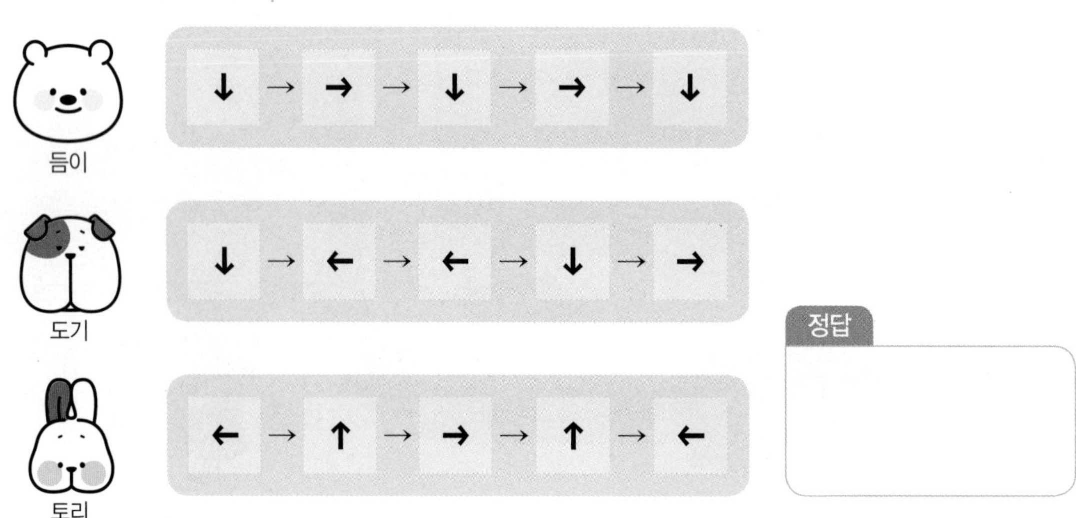

정답

대한민국 정부 수립 과정에서 등장했던 인물을 알아봅니다.

5 다음과 같은 검색어를 입력하고 결과가 '참'이 나왔을 때 (가)에 들어갈 알맞은 검색 결과를 보기에서 찾아 기호를 쓰세요.

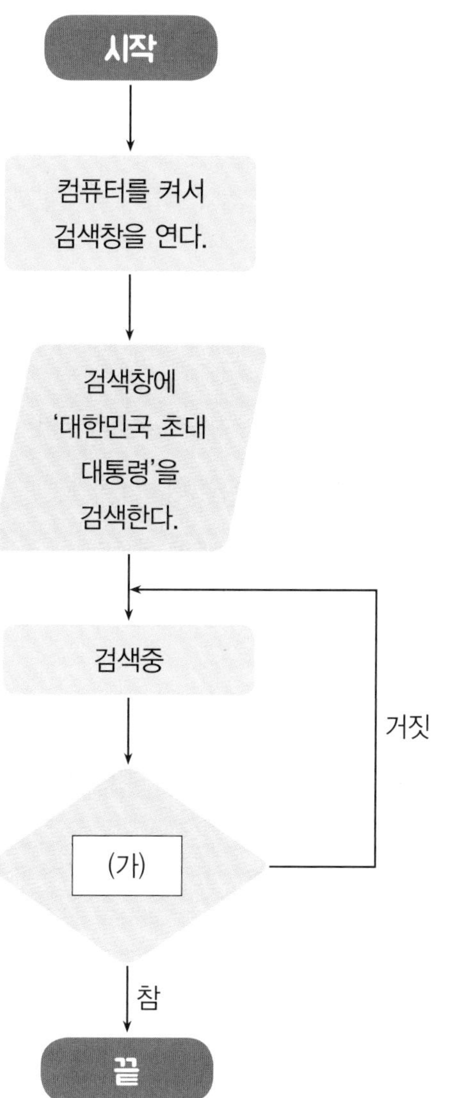

▲ 신채호 ▲ 이승만 ▲ 김구

( )

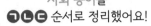

1~4주 동안 공부한 사회 용어를 ㄱㄴㄷ 순서로 정리했어요!

ㄱ

용어	뜻	쪽
가야 연맹	1세기~6세기경 경상도와 전라도 일부 지역을 차지했던 연맹 국가	19쪽
강화 회담	싸우던 두 편이 싸움을 그치고 어떻게 평화로운 상태를 만들지 토의하는 일	72쪽
광복	다른 나라에 빼긴 땅과 주권을 도로 찾음.	156쪽
개화	다른 나라의 더 발전된 문화와 제도를 받아들여 과거의 생각, 문화와 제도 등을 발전시켜 나가는 것	108쪽
고구려	주몽이 기원전 37년에 졸본에 세운 나라	18쪽
고부	전라북도 정읍 지역의 옛 이름	114쪽
고인돌	'괴어 있는 돌'이라는 뜻의 우리말로, 청동기 시대의 무덤	13쪽
고조선	단군왕검이 세웠다고 전해지는 우리나라 최초의 국가	12쪽
공사관	국가를 대표하여 파견되는 외교관이 사무를 보는 곳	138쪽
권문세족	대대로 권력이 있던 집안, 무신 정권의 자손들, 원의 힘을 이용해 성장한 계층 등이 속한 고려 후기 지배 세력	66쪽
귀주 대첩	1019년, 고려에 침입한 거란군을 귀주에서 크게 물리친 싸움	54쪽
규장각	조선 시대 학자들이 학문을 연구하고 정치를 의논하던 왕실의 도서관	96쪽
금동불	구리에 얇은 금을 입힌 불상	30쪽
금속 활자	납이나 구리 등의 금속으로 만든 활자	61쪽

ㄴ

용어	뜻	쪽
『농사직설』	우리나라 환경에 맞게 농사짓는 방법을 정리해 만든 책	87쪽
늑약	나라 사이에 강제로 맺은 조약	144쪽

ㄷ

용어	뜻	쪽
단발령	을미사변 이후 강제로 백성들의 머리를 깎게 한 명령	144쪽
담판	서로 맞선 관계에 있는 쌍방이 의논해 옳고 그름을 판단함.	54쪽
당	618년 이연이 세운 뒤 290년간 이어진 중국의 나라	24쪽
대장경	불교 경전을 모두 모아 놓은 것	60쪽
대첩	크게 이김.	54쪽
대한 제국	조선 후기 고종이 자주독립과 왕권 강화를 위해 황제 국가를 선포하면서 수립된 나라	139쪽
동맹	둘 이상의 국가가 서로의 이익이나 목적을 위하여 동일하게 행동하기로 맹세하여 맺는 약속	24쪽
동학	민간 신앙과 유교, 불교, 천주교의 장점을 모아 최제우가 만든 종교	114쪽

미륵사지	미륵사가 있던 자리라는 뜻으로, '지'라는 말은 원래 있던 건물은 없어지고 터만 남아 있다는 의미임.	30쪽
미송리식 토기	평북 의주 미송리에서 처음 발견된 민무늬 토기	13쪽

발해	698년에 대조영이 고구려 유민들과 말갈족을 모아 세운 나라	25쪽
백제	기원전 18년에 고구려의 왕자인 온조가 한강 유역에 세운 나라	18쪽
병자호란	조선 인조 14년(1636)에 청이 침략해 온 사건	73쪽
봉수형	봉황의 머리 모양	31쪽
부여	기원전 2세기경부터 494년까지 북만주 지역에 있었던 나라	18쪽
불국사	경상북도 경주시 토함산에 있는 신라 시대의 절	31쪽
붕당	학문이나 정치적으로 생각을 같이하는 사람들의 정치 집단	96쪽
비파형 동검	중국 악기인 비파를 닮은 동검	13쪽

『삼국유사』	고려 시대 일연이 고조선부터 후삼국까지를 기록한 역사서	12쪽
삼별초	원래 최씨 무신 정권의 사병이었는데 몽골의 침략에 대항하는 군대로 편성되어 마지막까지 몽골과 싸움.	55쪽
상감 청자	표면에 무늬를 새기고, 거기에 다른 흙을 메운 후 유약을 발라 구운 청자	60쪽
서민	조선 시대에 아무 벼슬이나 신분적 특권을 갖지 못한 사람	97쪽
서원	조선 시대에 인재를 기르는 역할을 했던 교육 기관	102쪽
석굴암	화강암을 쌓아 올려 동굴처럼 만든 절	31쪽
세계 기록 유산	유네스코가 세계의 귀중한 기록을 보존하고 활용하고자 선정하는 문화유산	60쪽
세도 정치	왕실과 혼인 관계를 맺은 가문들이 국정을 독점하는 정치	102쪽
수막새	기왓등의 끝에 사용하는 기와	25쪽
시해	왕이나 왕비 등 윗사람을 죽이는 것	138쪽
신라	기원전 57년에 박혁거세가 지금의 경주 지역을 중심으로 세운 나라	18쪽
신진 사대부	고려 말 등장한 새로운 정치 세력으로 성리학을 공부하고 과거 시험으로 관리가 된 사람들	66쪽
신탁 통치	특정 국가가 다른 나라의 일정 지역을 대신 통치하는 제도	156쪽
실학	조선 후기에 등장한 실생활의 유익을 목표로 한 학문	96쪽
신흥 무관 학교	만주에 설립되었던 독립군 양성 학교	144쪽

앙부일구	가마솥이 하늘을 우러르고 있는 모양의 해시계	66쪽
우금치	현재 충청남도 공주시에 있는 고개	115쪽
우정총국	우리나라 최초의 우편 업무를 담당하던 관청	108쪽
유교	공자의 가르침을 따르며 나라에 충성하고 부모에게 효도하는 것을 중요시하는 학문	67쪽

용어	뜻	쪽
유민	망해 없어진 나라의 백성	26쪽
의병	백성들이 자발적으로 조직한 군대 또는 그 병사	72쪽
인질	약속을 지키게 하려고 잡아 두는 사람	73쪽
임진왜란	조선 선조 때인 1592년부터 1598년까지 일본이 조선을 침략하면서 일어나 7년간 계속된 전쟁	72쪽
ㅈ		
자격루	스스로 종을 쳐서 시각을 알려 주는 물시계	66쪽
자주독립	남의 보호나 간섭을 받지 않고 정치적으로 자주권을 가지게 되는 것	138쪽
접객도	손님을 맞아서 시중드는 모습을 그린 벽화	30쪽
정묘호란	조선 인조 때인 1627년에 후금이 조선을 침략하여 벌어진 전쟁	73쪽
정변	비합법적인 방법으로 생긴 정치적인 큰 변화	108쪽
정전	전쟁 중인 나라들이 서로 합의해 일시적으로 전투를 중단하는 일	157쪽
제헌 국회	헌정 사상 최초로 구성된 의회	156쪽
조선	이성계가 고려를 멸망시키고 건국한 나라	66쪽
조약	나라와 나라 사이의 약속	103쪽
중립 외교	한 나라에 치우치지 않고 각 나라에 같은 중요도를 두는 외교	73쪽
『직지심체요절』	오늘날 전해지는 금속 활자 인쇄본 중 가장 오래된 것	61쪽
ㅊ		
총선거	국회 의원 전부를 한꺼번에 선출하는 선거	156쪽
측우기	비가 내린 양을 측정할 수 있는 기구	66쪽
ㅌ		
탈놀이	탈을 쓰고 하는 연극이나 춤	97쪽
탕평책	붕당과 상관없이 각 당파에서 고르게 인재를 등용하던 정책	96쪽
토지 조사 사업	일제가 우리나라의 토지를 빼앗으려고 벌인 대규모 토지 조사	143쪽
통상	나라들 사이에 물건 등을 사고파는 것 또는 그런 관계	102쪽
ㅍ		
판소리	긴 이야기를 노래로 들려주는 공연	97쪽
풍속화	당시 사람들의 생활 모습을 담고 있는 그림	97쪽
피란	전쟁을 피해 가는 길 또는 전쟁을 피해 안전한 곳으로 옮겨 가는 것	72쪽
ㅎ		
학익진 전법	학이 날개를 펼친 듯한 형태로 전선을 배치해 적을 공격하는 방법	72쪽
한산도 대첩	1592년 한산도 앞바다에서 조선 수군이 일본 수군을 크게 무찌른 전투	72쪽
행주 대첩	임진왜란 때 권율이 행주산성에서 일본군을 크게 무찌른 싸움	72쪽
호족	신라 말 고려 초에 활동한 지방 세력으로, 군사력과 경제력을 바탕으로 각 지방을 다스렸음.	54쪽
혼천의	해와 달, 별의 움직임을 관찰할 수 있는 기구	66쪽
환구단	황제가 하늘에 제사를 지내고자 둥글게 쌓은 단	139쪽
흥사단	안창호가 미국 샌프란시스코에 세운 민족 운동 단체	144쪽

쉽다!

10분이면 하루치 공부를 마칠 수 있는 커리큘럼으로,
아이들이 초등 학습에 쉽고 재미있게 접근할 수 있도록 구성하였습니다.

재미있다!

교과서는 물론 생활 속에서 쉽게 접할 수 있는 다양한 소재와
재미있는 게임 형식의 문제로 흥미로운 학습이 가능합니다.

똑똑하다!

초등학생에게 꼭 필요한 학습 지식 습득은 물론
창의력 확장까지 가능한 교재로 올바른 공부습관을 가지는 데 도움을 줍니다.

정답과 풀이

똑똑한

하루 사회

5-2

천재교육

정답과 풀이

1주 고조선과 삼국

1일 고조선

13쪽 개념 체크

1 단군왕검　2 신분　3 고조선

14~15쪽 개념 확인하기

1 ㉠　2 수정　3 ⑤　4 ③, ⑤

똑똑한 하루 퀴즈

5 삼국유사

풀이

1 바람, 비, 구름은 농사짓는 데 중요한 기후 조건으로 당시 고조선 사회가 농경 사회였다는 것을 보여 줍니다.

왜 틀렸을까?

㉡ 곰을 믿는 부족과 호랑이를 믿는 부족이 환웅 부족과 연합하고 싶어 했음을 알 수 있습니다.

㉢ 곰을 믿는 부족이 환웅 부족과 연합했음을 알 수 있습니다.

2 고조선은 단군왕검이 세웠다고 전해지는 우리 역사 속 최초의 국가입니다.

3 다른 사람을 다치게 한 사람은 곡식으로 갚으라고 한 것으로 보아 개인의 재산을 인정했다는 것을 알 수 있습니다.

4 미송리식 토기, 비파형 동검, 탁자식 고인돌이 고조선을 대표하는 문화유산입니다.

▲ 미송리식 토기

▲ 탁자식 고인돌

5 『삼국유사』는 고려 시대에 일연이 고조선부터 후삼국까지를 기록한 역사서입니다.

2일 삼국의 성립과 발전

19쪽 개념 체크

1 신라　2 평양　3 한강

20~21쪽 개념 확인하기

1 (1) ㉡ (2) ㉢ (3) ㉠　2 ⑤　3 ⑤

4 ①

집중 연습 문제

5 ①, ⑤　5세기　6 (2) ○

풀이

1 백제는 온조, 고구려는 주몽, 신라는 박혁거세가 세웠습니다.

2 근초고왕은 남쪽 지역으로 영토를 넓히고 고구려를 공격해 북쪽으로 진출했습니다.

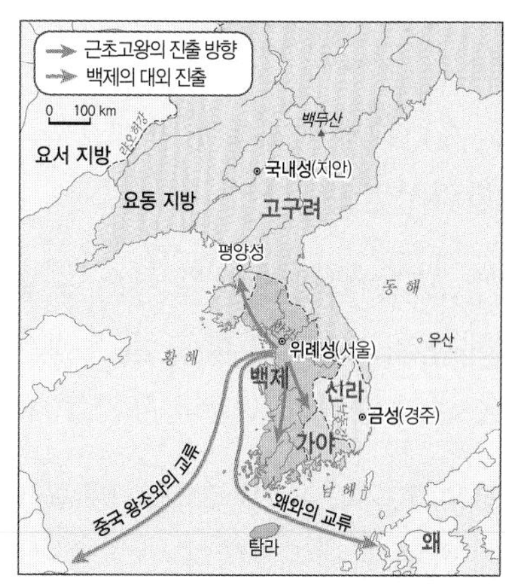

▲ 백제의 전성기(4세기, 근초고왕)

3 고구려는 기원전 37년 주몽이 부여를 떠나 졸본에 세운 나라로, 꾸준한 정복 활동을 벌여 5세기 광개토 대왕과 장수왕 때 전성기를 맞았습니다.

4 진흥왕은 한강 유역을 차지하고 대가야를 흡수해 가야 연맹의 상당 부분을 영토로 편입했습니다.

5 고구려는 5세기 광개토 대왕, 장수왕 때 전성기를 맞았습니다.

6 광개토 대왕은 서쪽으로는 요동 지역을 차지하고, 남쪽으로는 한강 지역으로 세력을 확장했습니다.

3일 삼국 통일과 발해

25쪽 개념 체크

1 당 2 문무왕 3 발해

26~27쪽 개념 확인하기

1 ㉠ 백제 ㉡ 고구려 2 ⑤ 3 ④
4 ④

똑똑한 하루 퀴즈

5

풀이

1 신라는 660년에 백제를 멸망시킨 후 668년에 고구려를 멸망시켰습니다.

2 백제와 고구려가 멸망하자 당은 동맹을 깨고 한반도 전체를 차지하려고 했고, 문무왕은 당을 상대로 전쟁을 벌여 승리하고 삼국 통일을 이루었습니다.

3 대조영은 고구려 유민들과 말갈족을 이끌고 동모산 지역에 발해를 세웠습니다.

4 발해는 스스로 고구려를 계승한 나라임을 내세웠습니다. 발해의 도읍지였던 상경과 그 주변 지역에서 불교와 관련된 문화유산이 많이 발견됩니다.

왜 틀렸을까?
① 발해는 고구려를 계승했습니다.
② 삼국을 통일한 나라는 신라입니다.
③ 금성은 신라의 도읍지입니다.
⑤ 우리나라 최초의 국가는 고조선입니다.

5 발해는 군사, 문화적 힘이 강력한 나라로 발전해 고구려의 옛 땅을 대부분 되찾았습니다.

4일 삼국의 문화유산

31쪽 개념 체크

1 고구려 2 중국 3 불국사

32~33쪽 개념 확인하기

1 ⑤ 2 ④, ⑤ 3 ② 4 (2) ○

집중 연습 문제

5 (1) ㉡ (2) ㉠ 신라 6 ③

풀이

1 사람들의 신분에 따라 크기를 달리 그린 것으로 보아 고구려가 신분 사회였음을 알 수 있습니다.

2 금동 연가 7년명 여래 입상은 현재 남아 있는 불상 가운데 삼국 시대를 대표하는 금동불입니다. 불상 뒷면에는 불상을 만든 까닭과 시기가 기록되어 있습니다.

3 백제의 대표적인 문화유산에는 무령왕릉, 백제 금동 대향로, 익산 미륵사지 석탑 등이 있습니다.

왜 틀렸을까?
① 불국사는 신라, ③ 비파형 동검, ④ 미송리식 토기는 고조선, ⑤ 광개토 대왕릉비는 고구려의 문화유산입니다.

4 선덕 여왕은 분황사와 황룡사 9층 목탑 등을 만들어 불교의 힘으로 이웃 나라가 쳐들어오는 것을 막아 내고 나라의 힘을 모으려고 했습니다.

5 불국사와 석굴암은 신라의 대표적인 문화유산입니다. 신라 사람들은 부처의 나라를 이루려는 마음을 담아 불국사를 지었습니다. 석굴암 내부에는 본존불과 함께 불교의 여러 신과 불교와 관련된 인물들이 조각되어 있습니다.

6 불국사는 신라 사람들의 예술 감각을 보여 주는 건축물로, 고대 한국 절의 특별한 사례로서 가치가 있음을 인정받아 유네스코 세계 유산으로 지정되었습니다. 석굴암은 건축 기술의 우수성뿐만 아니라 그 내부의 예술적인 가치가 높이 평가되어 유네스코 세계 유산으로 지정되었습니다.

5일 1주 마무리하기

36~39쪽 마무리하기 문제

1 ②, ③	2 예 신분 제도가 있었다. 화폐의 개념이 있었다.		
	3 ㉡	4 ⑤	5 ⑤
6 ③, ④	7 ㉢	8 지후	9 ⑤
10 (2) ○	11 ④		

똑똑한 하루 퀴즈

12 퀴즈1 대향로 퀴즈2 석굴암

풀이

1 고조선의 건국 이야기가 『삼국유사』에 전해지는데, 『삼국유사』는 고려 시대에 일연이 고조선부터 후삼국까지를 기록한 역사서입니다.

2 노비와 50만 전의 내용을 보아 신분 제도와 화폐의 개념이 있었음을 알 수 있습니다.

인정 답안

제시된 고조선의 법을 통해 알 수 있는 고조선 사회의 모습을 썼으면 정답으로 인정합니다.

인정 답안의 예

- 노비가 있었다.
- 돈이 있었다.

3 미송리식 토기, 비파형 동검이 공통적으로 분포되어 있는 만주와 북한 지역이 고조선의 문화 범위라고 짐작할 수 있습니다.

4 근초고왕은 남쪽 지역으로 영토를 넓히고 고구려를 공격해 북쪽으로 진출했습니다.

5 광개토 대왕은 요동 지역을 차지하고, 남쪽으로는 백제의 영역이었던 한강 지역으로 세력을 확장했습니다.

6 신라의 진흥왕은 한강 유역을 차지했고, 대가야를 흡수하고 가야 연맹을 소멸시켰습니다.

7 신라의 삼국 통일은 당과 연합하고, 대동강 북쪽의 고구려 땅 대부분을 잃었다는 점에서 한계가 있습니다.

8 대조영은 고구려 유민으로 당이 정치적으로 어지러운 틈을 타 동모산 지역에 발해를 세웠습니다.

9 발해는 군사, 문화적 힘이 강력한 나라로 발전해 고구려의 옛 땅을 대부분 되찾았습니다.

10 백제 무령왕의 무덤인 무령왕릉에서는 백제의 문화유산 외에도 중국의 문화유산과 일본 소나무로 만든 물건이 함께 발견되었습니다.

11 첨성대는 당시의 높은 과학 기술 수준을 보여 주는 귀중한 문화유산입니다.

12 백제 금동 대향로를 통해 백제 사람들의 뛰어난 예술 감각과 능력을 알 수 있습니다. 석굴암은 건축 기술의 우수성을 인정받아 유네스코 세계 유산으로 등재되었습니다.

1주 | TEST+특강

40~41쪽 누구나 100점 TEST

1 ⑤	2 ④	3 ④	4 장수왕
5 ㉠ 한강 ㉡ 가야		6 ㉠, ㉢, ㉣, ㉡	
7 ②	8 ③	9 ②	10 ①, ④

풀이

1 고조선의 법 조항을 보고 당시 사람들의 생활 모습을 짐작할 수 있습니다.

2 비파형 동검, 미송리식 토기, 탁자식 고인돌의 분포로 고조선의 문화 범위를 짐작할 수 있습니다.

왜 틀렸을까?

④ 익산 미륵사지 석탑은 백제의 문화유산입니다.

3 백제는 고구려의 왕자인 온조가 한강 유역에 세운 나라로, 삼국 중 가장 먼저 전성기를 맞았습니다.

4 장수왕은 수도를 평양 지역으로 옮기고 남쪽으로 영역을 더욱 확장했습니다.

5 신라는 6세기 진흥왕 때 전성기를 맞았습니다.

6 백제와 고구려가 멸망하자 당은 동맹을 깨고 한반도 전체를 차지하려고 했습니다.

7 대조영은 고구려의 유민으로 당이 정치적으로 어지러운 틈을 타 동모산 지역에 발해를 세웠습니다.

8 무용총 접객도는 고구려가 신분 사회였음을 알려 주는 문화유산입니다.

9 경주 황남대총에서 나온 봉수형 유리병은 서역에서 만들어져 신라에 들어온 것으로 신라의 대외 관계를 알려 줍니다.

10 불국사는 신라의 불교문화를 알 수 있는 중요한 문화유산으로 불국사 삼층 석탑, 다보탑, 청운교와 백운교 등의 문화유산이 있습니다.

43쪽 생활 속 사회 융합

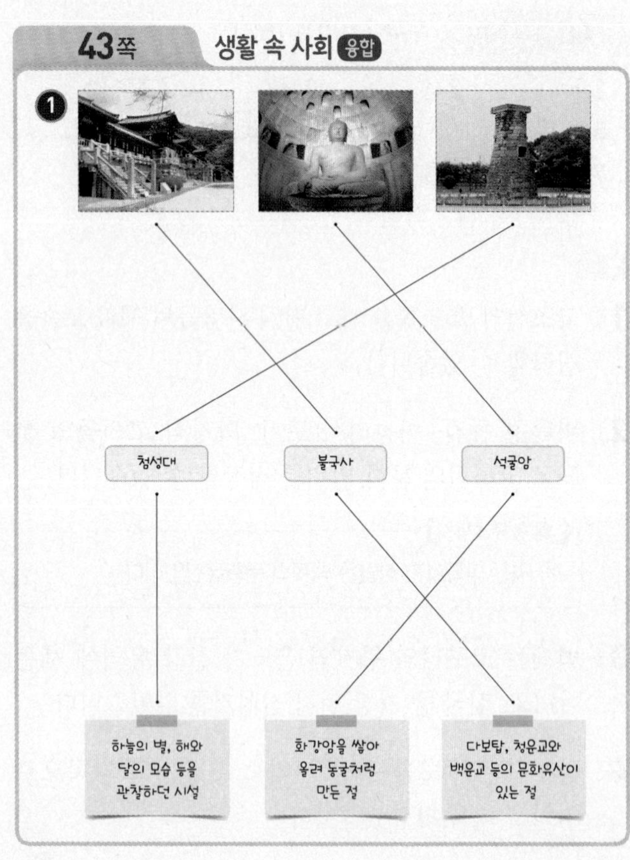

풀이

❶ 경주에는 첨성대, 불국사, 석굴암 등 신라의 문화와 그 수준을 보여 주는 많은 문화유산이 남아 있습니다.

44~45쪽 사고 쑥쑥 창의

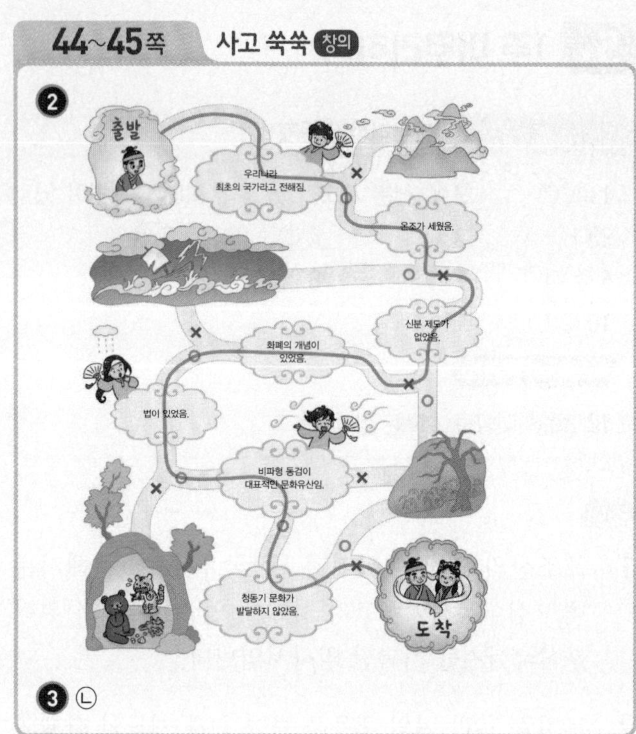

❸ ㉡

풀이

❷ 고조선은 우리나라 최초의 국가입니다.

46~47쪽 논리 탄탄 코딩

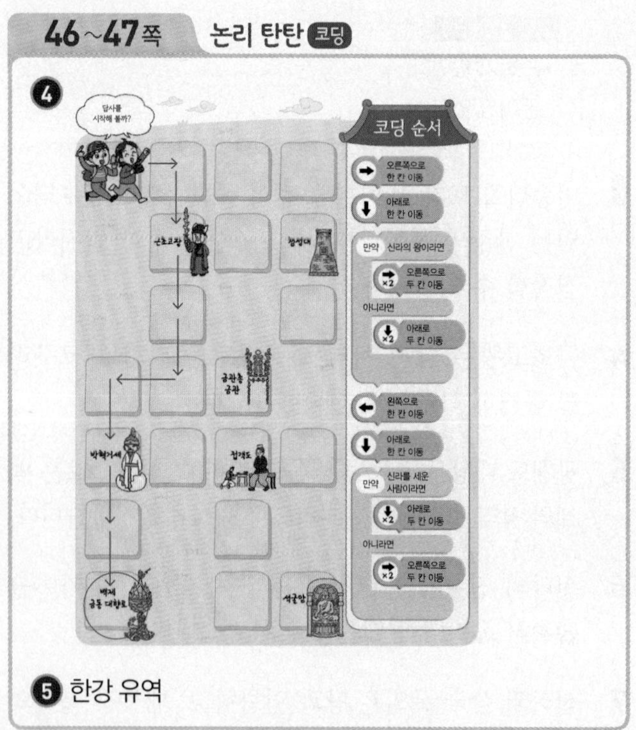

❺ 한강 유역

풀이

❹ 근초고왕은 백제의 왕입니다.

❺ 한강 유역은 농사짓기에 좋았습니다.

2주 고려와 조선

1일 고려의 건국과 외세의 침입

55쪽 개념 체크

1 견훤 **2** 귀주 **3** 몽골

56~57쪽 개념 확인하기

1 (1) ㉢ (2) ㉠ (3) ㉡ **2** ㉠, ㉡, ㉢ **3** ⑤
4 ④, ⑤ **5** ⑤

집중 연습 문제

6 거란 소손녕 **7** ③

풀이

1 견훤은 후백제를, 궁예는 후고구려를, 왕건은 고려를 세웠습니다.

2 후백제의 침입으로 힘이 약해진 신라가 고려에 항복했고, 왕위 다툼으로 힘이 약해진 후백제를 물리치고 고려가 후삼국을 통일했습니다.

3 왕건은 불교를 장려했으며 백성의 생활을 안정시키려 세금을 줄였습니다. 또 정치를 안정시키려고 호족을 견제하되 존중하면서 나라를 다스렸습니다. 거란이 발해를 멸망시키자 발해 유민을 받아들였으며 북쪽으로 점차 영토를 넓혀 나갔습니다.

4 고려는 거란의 1차 침입을 서희의 담판으로, 3차 침입을 귀주 대첩으로 물리쳤습니다.

5 강화도는 침략이 어려운 지역이었을 뿐만 아니라 섬의 면적이 넓어 많은 사람이 지낼 수 있었으며 뱃길로 세금과 각종 물건을 옮길 수 있었습니다.

6 서희는 고려와 송의 관계를 끊길 원하는 거란의 침입 의도를 파악하고 소손녕과 담판을 벌였습니다.

7 서희의 담판으로 고려는 송과 관계를 끊고 거란과 교류할 것을 약속했고, 압록강 동쪽의 강동 6주를 차지하게 되었습니다.

2일 고려의 문화유산

61쪽 개념 체크

1 귀족 **2** 몽골 **3** 금속

62~63쪽 개념 확인하기

1 ④ **2** ㉢ **3** ①, ② **4** 미연
5 ⑤

똑똑한 하루 퀴즈

6 1 3 7 4

풀이

1 청자는 만들기가 어렵고 가치가 높은 제품이었습니다.

왜 틀렸을까?

① 청자는 만들기가 어려웠습니다.
② 청자는 다양한 용도로 사용되었습니다.
③ 왕실과 귀족들이 주로 사용했습니다.
④ 청자를 만드는 기술은 본래 중국에서 들어왔습니다.

2 팔만대장경판은 십여 년간 목판 8만여 장에 불경을 새긴 것임에도 글자가 고르고 틀린 글자도 거의 없습니다. 이 사실에서 고려의 목판 제조술, 조각술, 인쇄술 등이 매우 뛰어났음을 알 수 있습니다.

3 몽골의 침입으로 초조대장경이 불에 타 없어지자 부처의 힘으로 몽골의 침입을 이겨 내고자 대장경을 다시 만들었습니다.

4 금속 활자는 여러 종류의 책을 만드는 데 효율적이었고, 쉽게 마모되지 않고 보관이 쉬웠습니다.

5 『직지심체요절』은 오늘날 전해지는 금속 활자 인쇄본 중 가장 오래된 것으로 1377년에 청주 흥덕사에서 인쇄된 책입니다. 현재 프랑스 국립 도서관에 보관되어 있습니다.

6 청자를 만드는 기술은 본래 중국에서 들어왔으나 고려는 상감이라는 공예 기법을 도자기에 적용해 상감 청자라는 독창적인 예술품을 만들어 냈습니다.

정답과 풀이

3일 조선의 건국과 사회 모습

67쪽 개념 체크

1 조선 2 앙부일구 3 양반

68~69쪽 개념 확인하기

1 ② 2 ③ 3 ③ 4 ㉡

집중 연습 문제

5 지연 세종 6 압록강

풀이

1 이성계를 중심으로 한 세력이 고려를 멸망시키고 새로운 왕조를 열었습니다.

2 조선이 한양을 도읍으로 삼은 것은 삼국 시대부터 교통이 편리하고 지리적으로 많은 이점이 있었기 때문입니다. 한양은 한강을 거쳐 물자를 옮기거나 농사짓고 생활하기에 좋은 조건을 갖추고 있었습니다.

3 세종은 측우기, 앙부일구, 자격루, 혼천의 등의 과학 기구를 만들었습니다.

왜 틀렸을까?

③ 거중기는 도르래를 이용해 적은 힘으로 무거운 물체를 들어 올리는 장치로 정조의 명을 받아 수원 화성을 건설할 때 실학자 정약용이 도르래의 원리를 이용해 만들었습니다.

4 천민들은 양반의 집이나 관공서에서 허드렛일이나 물건을 만드는 일을 하거나, 따로 살면서 주인집에 신공을 바치기도 했습니다.

5 세종은 백성들이 글을 몰라 어려움을 겪자, 이를 덜어 주려고 일부 신하들의 반대에도 우리글을 만들었습니다. 훈민정음은 혀와 입술의 모양에서 과학적인 원리를 찾아 창제했습니다.

6 세종은 여진족이 끊임없이 국경을 넘어오자 장수들을 시켜 4군 6진을 개척하게 했습니다. 그 후 백성들을 옮겨 살게 해 차지한 땅을 지키도록 했습니다.

4일 임진왜란과 병자호란

73쪽 개념 체크

1 이순신 2 행주산성 3 병자호란

74~75쪽 개념 확인하기

1 ③ 2 이순신 3 (1) ㉠ (2) ㉡ 4 ③

5 ④, ⑤

똑똑한 하루 퀴즈

6 수현

풀이

1 일본을 통일한 도요토미 히데요시는 조선과 명을 정복하려고 1592년 4월 13일 새벽에 부산으로 쳐들어왔습니다.

2 이순신과 조선 수군은 거제 옥포만에서 일본 수군과 싸워 첫 승리를 거두었고 한산도 대첩에서 학익진 전법으로 일본 수군을 크게 무찔렀습니다. 학익진 전법은 학이 날개를 펼친 듯한 형태로 전선을 배치해 적을 공격하는 방법입니다.

3 양반에서 천민에 이르기까지 다양한 의병의 활약과 행주 대첩에서의 승리로 임진왜란을 극복할 수 있었습니다.

4 명과 전쟁 중이던 후금은 명을 돕는 조선을 굴복시키고자 조선에 쳐들어왔습니다. 조선의 관군과 의병이 후금에 맞서 싸웠으나 전쟁에 패했고, 조선과 후금이 형제 관계를 맺는다는 조건으로 전쟁을 끝냈습니다.

5 병자호란 결과 조선과 청은 신하와 임금의 관계를 맺었고, 소현 세자와 봉림 대군, 많은 대신과 백성이 청에 인질로 끌려갔습니다.

6 광해군은 명이 쇠퇴하고 후금이 성장하는 상황에서 신중한 중립 외교를 펼치며 전쟁에 휘말리지 않으려고 했습니다.

5일 2주 마무리하기

78~81쪽 마무리하기 문제

1 ④ 2 ④ 3 (1) ○ 4 ④
5 예 십여 년간 목판 8만여 장에 불경을 새긴 것임에도, 글자가 고르고 틀린 글자도 거의 없다.
6 『직지심체요절』 7 ④ 8 ②, ③
9 ㉢ 10 ④, ⑤ 11 ⑤

똑똑한 하루 퀴즈

12
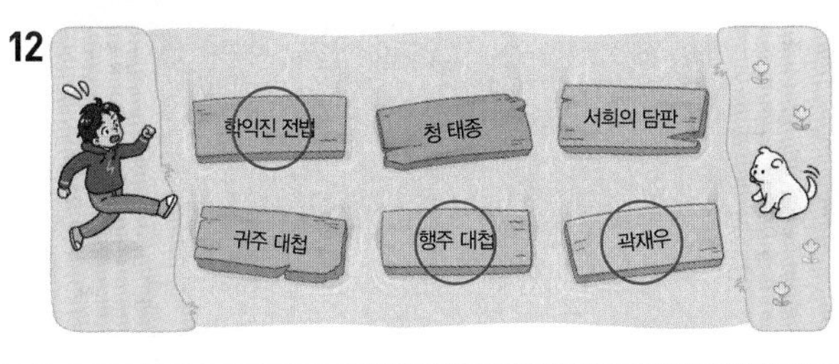

풀이

1 신라 말에 나라가 신라, 후백제, 후고구려(훗날 고려)로 나뉘었는데 이를 후삼국이라고 합니다.

2 강감찬을 비롯한 고려군은 돌아가는 거란군을 귀주에서 크게 물리쳤습니다.

3 삼별초라 불리는 일부 군인들은 개경으로 돌아가는 것에 반발하며 고려 조정과 몽골에 끝까지 저항했습니다.

4 고려는 상감이라는 공예 기법을 도자기에 적용해 상감 청자라는 독창적인 예술품을 만들어 냈습니다.

5 팔만대장경판은 우수성을 인정받아 현재 유네스코 세계 기록 유산으로 등재되어 있습니다.

인정 답안

팔만대장경판의 우수성을 알맞게 썼으면 정답으로 인정합니다.

인정 답안의 예
- 글자가 고르다.
- 틀린 글자가 거의 없다.

6 『직지심체요절』은 유럽에서 만든 금속 활자보다 70여 년 이상 앞서 제작되었습니다.

7 이성계의 아들인 이방원이 정몽주를 죽이고, 이성계를 중심으로 한 세력이 조선을 세웠습니다.

8 세종은 과학 기구 발명, 훈민정음 창제 등으로 백성들의 생활에 도움을 주었습니다.

9 양반은 관리가 되었으며, 중인은 외국 사신을 맞이하며 통역을 담당하는 일 등을 했습니다.

10 이순신과 관군, 곽재우를 비롯한 전국 각지의 의병, 백성들이 힘을 합해 전쟁을 극복할 수 있었습니다.

11 인조는 남한산성에 들어간 지 45일 만에 삼전도에서 청 태종에게 항복했습니다.

12 이순신은 학익진 전법으로 일본 수군을 크게 이겼으며, 권율은 행주 대첩에서 크게 승리를 거두었고, 곽재우도 의병을 모아 일본군과 싸워 이겼습니다.

2주 | TEST + 특강

82~83쪽 누구나 100점 TEST

1 ③ 2 서희 3 다빈 4 ㉡
5 ④ 6 ①, ③ 7 ④ 8 중인
9 ⑤ 10 (1) ㉠ (2) ㉡

풀이

1 935년 신라는 스스로 고려에 항복했습니다.

2 서희는 소손녕과 담판을 벌여 거란을 물러나게 했고, 강동 6주를 얻었습니다.

3 몽골의 1차 침입 이후 고려는 도읍을 개경에서 강화도로 옮기고 몽골과 싸웠습니다.

왜 틀렸을까?

지후 : 삼별초는 끝까지 저항했으나 실패했습니다.
서하 : 황룡사 9층 목탑 등의 문화재가 불타는 피해를 입었습니다.

4 『직지심체요절』은 오늘날 전해지는 금속 활자 인쇄본 중 가장 오래된 것으로 유네스코 세계 기록 유산으로 등재되었습니다.

5 고려는 부처의 힘으로 몽골의 침입을 이겨 내고자 대장경을 만들었습니다.

6 요동을 정벌하러 가던 이성계의 군대가 위화도에서 군대를 되돌려 반대 세력을 몰아내고 권력을 잡은 후 조선을 건국했습니다.

7 조선은 세종 대에 과학 기술, 문화, 국방 등 여러 분야에서 크게 발전했습니다.

8 중인들은 관아 등에서 통역을 하거나 그림을 그리는 일을 했습니다.

9 이순신은 한산도 대첩에서 학익진 전법으로 일본 수군을 크게 물리쳤습니다.

10 청은 정묘호란 후 형제의 관계를 임금과 신하의 관계로 바꾸자고 요구하며 조선을 다시 침입했습니다.

85쪽 생활 속 사회 융합

1

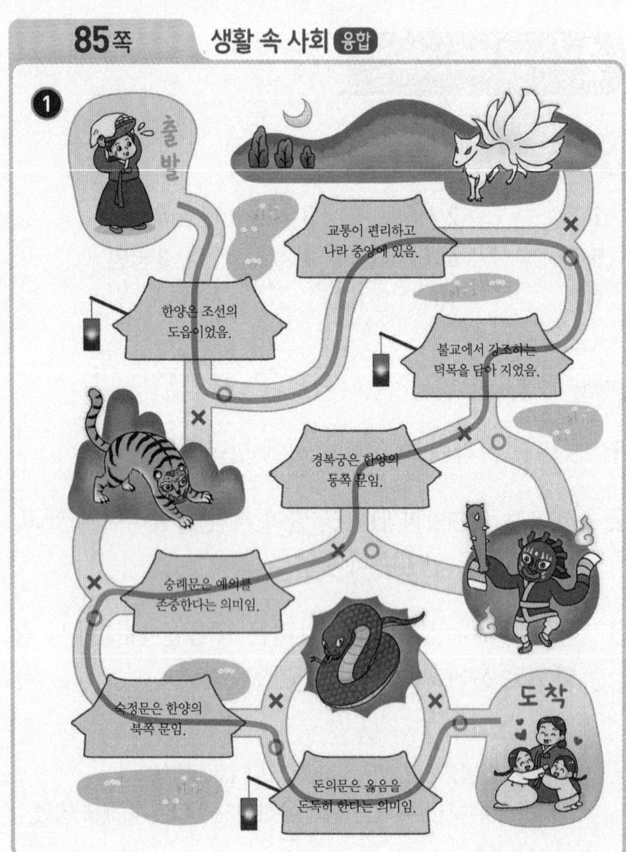

풀이

1 한양의 사대문은 유교에서 사람이 마땅히 갖춰야 할 다섯 가지의 덕목인 인의예지신(仁義禮智信)에서 이름을 땄습니다. 인자하고, 의롭고, 예의 바르고, 지혜롭고, 믿음이 있어야 한다는 뜻으로 이름이 지어졌습니다.

86~87쪽 사고 쑥쑥 창의

2 ㉠

3 (1)

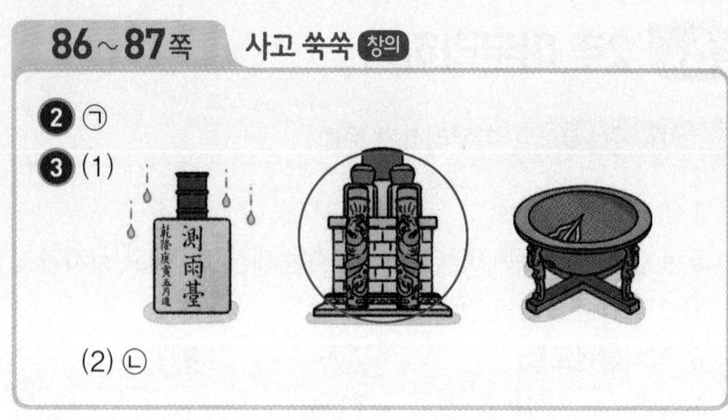

(2) ㉡

풀이

2 『직지심체요절』은 오늘날 전해지는 금속 활자 인쇄본 중 가장 오래된 것입니다.

3 세종은 측우기, 앙부일구 등의 과학 기구를 만들었으며 우리글인 훈민정음을 창제했습니다.

88~89쪽 논리 탄탄 코딩

4 귀주 대첩

5 2361

풀이

4 2차 침입 이후 거란은 고려가 강동 6주를 돌려주려 하지 않자 고려를 다시 침입해 왔습니다. 거란은 패배하면서도 계속 개경을 향해 나아갔습니다. 고려는 개경 부근의 군인과 사람들을 성안으로 들어오게 해 성 밖에 식량이나 물자를 남기지 않았습니다. 이에 거란은 승리할 수 없음을 깨닫고 돌아갔습니다. 강감찬을 비롯한 고려군은 돌아가는 거란군을 귀주에서 크게 물리쳤습니다.

5 명의 군대가 참전해 조선을 도왔고, 조선과 명의 연합군은 평양성에서 일본군을 상대로 승리를 거뒀습니다. 조선과 명의 연합군은 한양을 되찾으려고 이동했고, 이때 권율은 행주산성으로 군사를 이동시켜 전투를 준비했습니다. 이에 일본군은 맹공격을 했으나 관군, 승병 등이 힘을 합해 일본군을 물리치고 승리를 거뒀습니다.

3주 조선 사회의 변동

1일 새로운 사회를 향한 움직임

97쪽 개념 체크

1 규장각 2 청 3 백성

98~99쪽 개념 확인하기

1 탕평책 2 (2) ○ 3 농업 4 ③
5 ③

집중 연습 문제

6 (2) ○ • (1) ➡ 세종 • (2) ➡ 정조 7 ①

풀이

1 영조는 탕평책을 펼쳐 고르게 인재를 뽑았습니다.

2 실학자들은 우리의 역사, 지리, 언어, 자연 등을 연구해야 한다고 주장했습니다.

3 실학은 실생활의 유익을 목표로 하는 학문입니다.

4 풍속화는 당시 사람들의 생활 모습을 담고 있는 그림입니다.

5 판소리는 긴 이야기를 노래로 들려주는 공연으로, 즉흥적으로 내용을 빼거나 더할 수 있고 관객도 함께 참여할 수 있어서 백성들에게 큰 호응을 얻었습니다.

6 정조는 새로운 과학 기술을 응용하여 수원 화성을 건설했습니다. 수원 화성은 우수한 과학 기술뿐만 아니라 건축물의 예술적 가치 또한 인정받아 유네스코 세계 문화유산으로 등재되었습니다.

왜 틀렸을까?
(1) 측우기는 세종 시기에 만들어진 발명품입니다.

7 정조는 영조의 탕평책을 이어받아 국왕을 중심으로 정치를 운영해 나가고자 했습니다.

2일 외세의 침입

103쪽 개념 체크

1 경복궁 2 척화비 3 일본

104~105쪽 개념 확인하기

1 ⑤ 2 시완 3 ③ 4 강화도 조약
5 ㉠, ㉡

똑똑한 하루 퀴즈

6

프	신	운		서
랑		미	붕	당
스	세	도	정	치
미	국	조	서	
	강	화	도	원

❶ 세도 정치 ❷ 서원 ❸ 프랑스

풀이

1 흥선 대원군은 척화비를 세우고 통상 수교 거부 정책을 강화했습니다.

2 미국이 군함을 이끌고 강화도를 침략한 사건을 신미양요라고 하며, 운요호 사건을 계기로 조선은 일본과 강화도 조약을 맺게 되었습니다.

3 병인양요와 신미양요를 겪은 흥선 대원군은 전국 각지에 서양 세력과 교류하지 않겠다는 의지를 담은 척화비를 세웠습니다.

4 강화도 조약의 조항에는 일본의 침략과 일본 군함의 접근을 더욱 쉽게 만들려는 뜻이 숨어 있었기 때문에 조선에 불리한 불평등 조약이었습니다.

5 강화도 조약을 계기로 조선은 개항을 하게 되었고, 이 조약 이후 서양의 다른 나라들과도 조약을 맺어 교류를 시작했습니다.

왜 틀렸을까?
㉢ 일본과 교류를 하는 직접적인 계기가 되었습니다.

6 흥선 대원군은 국왕 중심의 정치를 하고 통상 수교 거부 정책을 펼쳤습니다.

3일 갑신정변

109쪽 개념 체크

1 김홍집 2 우정총국 3 일본

110~111쪽 개념 확인하기

1 ③ 2 ㉢ 3 (3) ○ 4 ⑤

집중 연습 문제

5 갑신정변 6 ② 온건

풀이

1 김홍집 등의 온건 개화파는 조선의 법과 제도를 바탕으로 서양의 기술을 받아들여야 한다고 주장했습니다.

2 갑신정변은 김옥균을 중심으로 한 급진 개화파가 일으켰습니다.

3 김옥균, 박영효, 서광범, 서재필 등의 급진 개화파는 1884년 우정총국의 개국 축하 잔치를 틈타 갑신정변을 일으켰습니다.

▲ 갑신정변이 일어났던 우정총국의 과거 모습

4 갑신정변은 일본의 힘에 의지하고 준비가 부족한 상태에서 개혁을 시도했고, 많은 사람의 지지를 받지 못했다는 한계를 가집니다.

5 김옥균, 박영효 등의 급진 개화파는 갑신정변을 일으켰습니다.

6 급진 개화파는 청이 조선의 개혁에 방해가 된다고 생각했습니다.

4일 동학 농민 운동

115쪽 개념 체크

1 고부 2 일본 3 우금치

116~117쪽 개념 확인하기

1 ⑤ 2 ⑤ 3 현아 4 ②
5 ㉡

똑똑한 하루 퀴즈

6 전봉준

풀이

1 갑신정변 이후에도 일부 양반과 지방 관리의 횡포는 여전히 심했고, 이것이 계기가 되어 동학 농민 운동이 일어났습니다.

2 계급이 없는 평등한 세상을 원했던 동학 농민군은 노비 문서를 불태워 버릴 것을 주장했습니다.

3 전봉준을 비롯한 농민들은 폭정을 없애고 백성을 구하기 위해 봉기했습니다. 동학 농민군은 못된 관리가 없고 일본과 같은 외국에 의지하지 않는 세상을 원했습니다.

4 청일 전쟁 이후 일본의 간섭이 더욱 심해지자 동학 농민군은 일본을 몰아내기 위해 다시 일어났습니다.

5 변변한 무기가 없었던 동학 농민군은 기관총으로 무장한 일본군과 관군의 상대가 되지 않아 공주 우금치에서 벌어진 전투에서 크게 패했습니다.

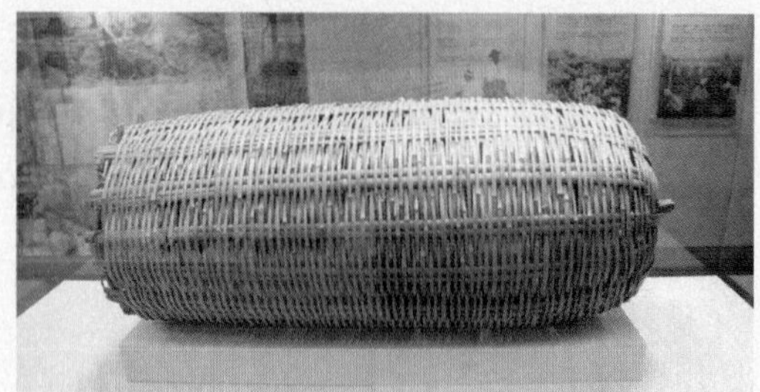

▲ 동학 농민군의 무기, 장태

6 전봉준은 동학 농민 운동의 지도자로, 별명은 '녹두 장군'입니다.

5일 3주 마무리하기

120~123쪽 마무리하기 문제

1 ⑤ 2 실학 3 ㉡ 4 ⑤
5 ② 6 ⑤ 7 (1) ㉠ (2) ㉡
8 정연 9 예 일본의 힘에 의지했다. 10 ⑤
11 (2) ○

똑똑한 하루 퀴즈

12 ❶, ❸, ❷

풀이

1 영조는 탕평책을 펼쳐 왕권을 강화하고 정치를 안정시키고자 했습니다.

2 실학은 현실 문제에 관심을 기울이면서 등장한 학문으로, 실생활의 유익을 목표로 합니다.

3 탈놀이는 백성의 생각이나 감정을 솔직하게 표현해서 인기가 많았습니다.

4 흥선 대원군은 세도 정치의 잘못된 점을 고치고 국왕 중심으로 정치를 운영하기 위한 정책을 폈습니다.

5 병인양요는 1866년 프랑스가 강화도를 침략한 사건입니다.

6 강화도 조약은 조선과 일본의 대표가 1876년에 체결한 조약으로, 우리나라가 외국과 맺은 최초의 근대적 조약입니다.

7 개항 이후 사람들은 조선의 개혁에 대해 다양한 생각을 하고 있었습니다.

8 갑신정변은 많은 사람의 지지를 받지 못해 실패로 끝났습니다.

9 갑신정변은 일본의 힘에 의지하고 준비가 부족한 상태에서 개혁을 시도했다는 한계를 가집니다.

인정 답안

갑신정변의 한계점 한 가지를 알맞게 썼으면 정답으로 인정합니다.

인정 답안의 예

- 준비가 부족한 상태에서 개혁을 시도했다.
- 많은 사람의 지지를 받지 못했다.

10 갑신정변 이후에도 일부 양반과 지방 관리의 횡포는 여전히 심했습니다.

11 동학 농민군은 일본과 같은 외국에 의지하지 않는 세상을 원했습니다.

12 강화도 조약 체결(1876년), 갑신정변(1884년), 동학 농민 운동(1894년) 순으로 발생했습니다.

3주 | TEST+특강

124~125쪽 누구나 100점 TEST

1 ④ 2 ⑤ 3 백성 4 현진
5 ④ 6 ㉠ 7 ③ 8 ②
9 ④ 10 ①

풀이

1 정조는 영조의 탕평책을 이어받아 정치를 안정시키고 왕권을 강화하고자 했습니다.

2 실학자들은 우리나라의 고유한 것을 중요하게 생각했기 때문에 우리의 역사, 지리 등을 연구했습니다.

3 탈놀이는 주로 양반의 겉과 속이 다름을 비꼬거나 놀리는 내용을 담았습니다.

4 흥선 대원군은 무리하게 경복궁을 중건하는 정책을 펼쳐 백성들의 불만을 샀습니다.

5 제시된 내용은 강화도 조약의 조항 중 일부로, 강화도 조약은 외국과 맺은 최초의 근대적 조약이지만 불평등 조약이었습니다.

왜 틀렸을까?

① 강화도에서 체결되었습니다.
② 조선과 일본이 맺은 조약입니다.
③ 조선에게 불리한 불평등 조약입니다.
⑤ 일본의 침략을 더욱 쉽게 만들려는 뜻이 숨어 있습니다.

6 김옥균 등 급진 개화파는 조선이 청의 간섭에서 벗어나야 한다고 생각했습니다.

7 급진 개화파는 우정총국 개국 축하 잔치를 틈타 정변을 일으켰습니다.

8 급진 개화파는 일본의 힘을 빌려 조선의 근대화를 이루고자 했지만 실패로 끝났습니다.

9 전봉준과 동학 농민군은 농민들이 잘사는 세상을 원했습니다.

10 동학 농민 운동의 지도자 전봉준은 고부 군수의 횡포를 막기 위해 군사를 일으켰습니다.

127쪽 생활 속 사회 융합

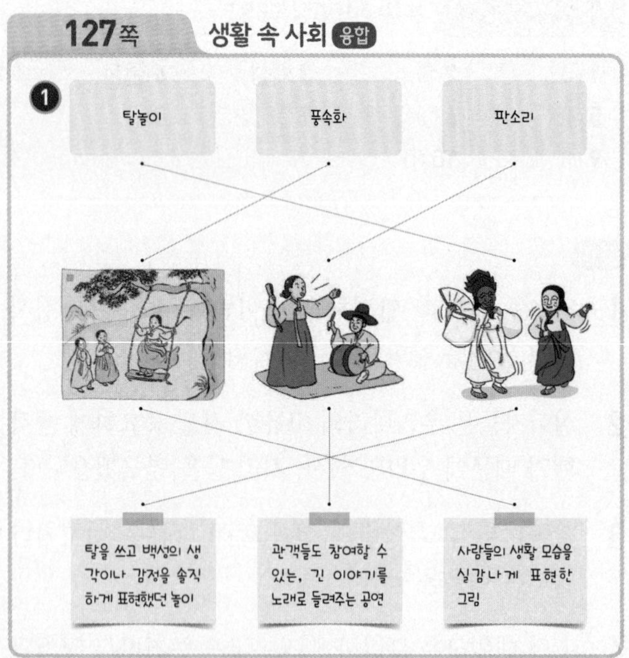

풀이

❶ 조선 후기 경제적 여유가 생긴 사람들이 늘어나면서 양반뿐만 아니라 일반 백성도 참여할 수 있는 서민 문화가 발달했습니다. 새롭게 등장한 서민 문화에는 한글 소설, 풍속화, 탈놀이, 판소리 등이 있으며, 이를 통해 당시 사람들의 생활 모습과 생각을 알 수 있습니다.

128~129쪽 사고 쑥쑥 창의

❷ ⓒ　　❸ ❼❺❶

풀이

❷ 조선 정조 시기에 만들어진 수원 화성은 과학적 가치와 예술적 가치를 인정받아 유네스코 세계 문화유산으로 등재되었습니다.

❸ 조선 후기 강화도에서 일어난 사건에는 병인양요, 신미양요, 강화도 조약 체결 등이 있습니다.

왜 틀렸을까?

❹ 최초로 일본과 근대적 조약을 맺었습니다.
❾ 신미양요는 미국이 강화도를 침략한 사건입니다.
❸ 병인양요와 신미양요 이후 전국 각지에 척화비가 세워졌습니다.

130~131쪽 논리 탄탄 코딩

❹ 우정총국

❺

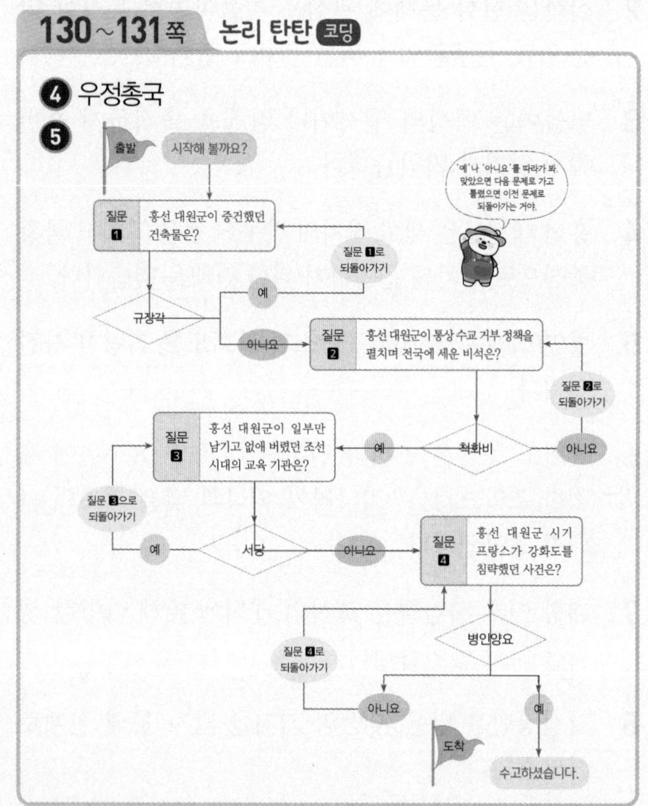

풀이

❹ 1884년 우정총국 개국 축하 잔치에서 갑신정변이 일어났습니다. 우정총국은 조선 후기에 우편 업무를 담당하던 관청을 말합니다.

❺ 흥선 대원군은 임진왜란 때 불에 탔던 경복궁을 중건하고 세금을 면제받고 부당하게 재산을 쌓던 서원을 일부만 남기고 모두 정리했습니다.

4주 대한 제국에서 대한민국으로

1일 자주독립과 근대화를 위한 노력

139쪽 개념 체크

1 러시아 2 만민 3 환구단

140~141쪽 개념 확인하기

1 ㉠ 2 ⑤ 3 ③ 4 ④, ⑤

집중 연습 문제

5 환구단 신라 6 ⑤

풀이

1 고종과 그의 비(부인)인 명성 황후가 일본의 간섭을 막으려 하자, 일본은 경복궁에 침입해 명성 황후를 시해했습니다.

왜 틀렸을까?
㉡ 아관 파천으로 조선에서 러시아의 영향력이 더 커지게 되었습니다.

2 고종은 을미사변 이후 자신의 안전을 지키고 일본의 영향력을 벗어나고자 러시아 공사관으로 피해 머물렀습니다.

3 독립 협회는 자주독립 의식을 고취하고자 독립문을 건설하고, 만민 공동회를 개최했습니다.

4 대한 제국은 황제의 권리를 지나치게 강화하고 국민의 권리를 제대로 보장하지 못한 한계를 지닙니다.

5 1897년 고종은 대한 제국이 서양과 일제의 간섭에서 벗어난 자주독립국임을 보여 주기 위해 환구단에서 황제로 즉위하고 대한 제국을 선포했습니다.

6 고종은 대한 제국이 서양 열강의 제국주의 국가에 대항할 수 있는 자주적인 독립 국가임을 드러내기 위해 대한 제국을 선포했습니다.

2일 나라를 지키기 위한 노력

145쪽 개념 체크

1 을사늑약 2 평민 3 탄압

146~147쪽 개념 확인하기

1 ② 2 경수 3 신돌석 4 ③
5 ㉠

똑똑한 하루 퀴즈

6 9 3 1

풀이

1 을사늑약은 1905년 일제와 강제로 체결한, 대한 제국의 외교권을 빼앗는 조약입니다.

왜 틀렸을까?
① 일제와 강제로 체결한 조약입니다.
⑤ 을사늑약이 무효임을 알리기 위한 고종의 노력은 성과를 거두지 못했습니다.

2 을사늑약이 강제로 체결되자 전국 각지에서 의병이 일어났습니다.

3 을사늑약 체결 이후 농민들도 적극적으로 의병 운동에 참여하면서 신돌석과 같은 평민 출신 의병장들이 등장했습니다.

4 안중근은 이토 히로부미를 동양의 평화를 해치는 원흉으로 지목해 처단했습니다.

왜 틀렸을까?
①은 서재필, ②는 신돌석, ④와 ⑤는 일제와 관련된 설명입니다.

5 일제는 전국에서 발생한 만세 시위를 잔인하게 진압했습니다.

6 1919년 3월 1일, 일본의 강제적인 식민지 정책으로부터 자주독립할 목적으로 전국적인 만세 시위가 일어났습니다.

3일 다양한 독립운동

151쪽 개념 체크

1 광복군 2 봉오동 3 신채호

152~153쪽 개념 확인하기

1 ② 2 ㉠ 3 ⑤ 4 ③
5 지후

똑똑한 하루 퀴즈

6 대한민국 KOREA 「조선 상고사」 / 대한민국 KOREA 3·1 독립 선언서 / 대한민국 KOREA 한글 보급 운동을 위한 책자 (○)

풀이

1 1919년 9월, 중국 상하이에서 여러 임시 정부를 통합한 대한민국 임시 정부가 수립되었습니다.

2 대한민국 임시 정부는 일제의 감시와 탄압에서 벗어나고, 중국의 도움을 받기 쉬운 곳으로 가기 위해 계속 위치를 옮겼습니다.

3 대한민국 임시 정부는 체계적으로 독립운동을 했습니다.

> **왜 틀렸을까?**
> ⑤ 독립 협회가 했던 일입니다.

4 독립군을 이끌었던 홍범도 장군은 봉오동 전투와 청산리 대첩에서 큰 활약을 했습니다. 독립군 부대는 싸움에 유리한 지형과 뛰어난 전술을 이용해 일본군을 무찌를 수 있었습니다.

5 이육사, 한용운을 비롯한 여러 문인들은 꺾이지 않는 민족정신을 그들의 작품에 담았습니다.

6 조선어 학회는 우리글의 가치를 알리고자 한글을 보급하고 사전을 편찬하는 데 힘썼습니다. 『조선 상고사』는 신채호가 지은 우리나라의 역사를 소개한 책이고, 3·1 독립 선언서는 만세 시위 전 민족 대표들이 작성한 문서입니다.

4일 대한민국 정부의 수립과 6·25 전쟁

157쪽 개념 체크

1 이승만 2 첫 3 북한

158~159쪽 개념 확인하기

1 ② 2 (1) ㉡ (2) ㉠ 3 ③
4 (3) ○

집중 연습 문제

5 ㉣ 6 ③

풀이

1 모스크바 3국 외상 회의 결과 한반도의 임시 정부 수립과 정부 수립 전 최대 5년 간의 신탁 통치가 결정되었습니다.

2 이승만은 단독 정부 수립을 주장했고, 김구는 통일 정부 수립을 주장했습니다.

3 남한에서는 1948년 5월 10일에 국회 의원을 뽑는 첫 번째 민주 선거를 실시했습니다.

> **왜 틀렸을까?**
> ① 남한만 총선거를 실시했습니다.
> ② 남녀가 모두 투표에 참여했습니다.
> ④ 5·10 총선거 이후 대한민국 정부가 수립되었습니다.

4 (2) 5·10 총선거, (1) 제헌 헌법 공포, (3) 대한민국 정부 수립의 순서대로 발생했습니다.

5 인천 상륙 작전을 계기로 국군과 국제 연합군은 평양을 비롯한 북한 지역의 대부분을 장악한 후 압록강으로 진격했고, 전쟁이 우리나라에 유리하게 전개되었습니다.

6 6·25 전쟁으로 많은 피해가 일어나 복구하는 데 많은 시간과 비용이 들었습니다. 국토가 황폐해지고 건물, 도로, 철도 등이 파괴되었으며, 당시 남북한 인구의 절반이 넘는 사람들이 피해를 입었습니다.

5일 4주 마무리하기

162~165쪽 마무리하기 문제

1 ① 2 (3) ○ 3 만민 공동회 4 ④
5 ㉡, ㉣ 6 ③ 7 예 일제의 감시와 탄압에서 벗어나고 중국의 도움을 받기 쉬운 곳으로 가기 위해서이다.
8 ㉡, ㉢ 9 ④ 10 ④ 11 ㉠

똑똑한 하루 퀴즈

12 ❶ 안창호 ❷ 안중근

풀이

1 고종과 명성 황후가 일본의 간섭을 막으려 하자, 일본은 경복궁에 침입해 명성 황후를 시해하는 만행을 저질렀습니다.

2 독립 협회는 자주독립 의식을 고취하고자 청의 사신을 맞이하던 영은문이 있던 자리에 독립문을 세웠습니다.

3 사람들은 만민 공동회에서 정부의 정책과 사회 제도를 비판할 수 있었습니다.

4 을사늑약으로 대한 제국의 외교권이 박탈되어 외국과의 조약을 자주적으로 맺을 수 없게 되었습니다.

5 을사늑약이 체결되자 전국 각지에서 의병이 일어났습니다.

6 이회영은 만주에 신흥 강습소를 설립해 많은 독립운동가와 항일 독립군을 키워 냈습니다.

7 독립운동을 체계적으로 하기 위해서 대한민국 임시 정부가 수립되었습니다.

인정 답안

대한민국 임시 정부가 계속해서 이동했던 까닭을 알맞게 썼으면 정답으로 인정합니다.

인정 답안의 예

- 일제의 감시에서 벗어나기 위해서이다.
- 중국의 도움을 받기 위해서이다.

8 대한민국 임시 정부는 한인 애국단을 조직하여 활동했고 한국광복군을 만들어 일본과의 전쟁을 준비했습니다.

9 조선어 학회는 우리글의 가치를 알리고자 한글을 보급하고 사전을 편찬하는 데 힘썼습니다.

10 제헌 국회 의원들은 이승만을 초대 대통령으로 선출했습니다.

11 6·25 전쟁은 ㉡ → ㉢ → ㉣ → ㉠의 순서대로 전개되었습니다.

12 안창호는 미국 샌프란시스코에 흥사단을 세워 한국인들의 실력 양성에 힘썼고, 안중근은 하얼빈에서 이토 히로부미를 저격했습니다.

4주 | TEST+특강

166~167쪽 누구나 100점 TEST

1 ④ 2 (2) ○ 3 ㉠ 4 안중근
5 ① 6 ② 7 ①, ⑤ 8 신채호
9 ① 10 ㉡

풀이

1 독립 협회는 자주독립 의식을 고취하기 위해 영은문을 헐고 독립문을 세웠습니다.

왜 틀렸을까?

① 급진 개화파에 대한 설명입니다.
② 대한민국 임시 정부에 대한 설명입니다.
③ 조선어 학회에 대한 설명입니다.
⑤ 일제에 대한 설명입니다.

2 고종은 대한 제국이 자주독립국임을 상징적으로 보여 주기 위해 환구단에서 황제로 즉위했습니다.

3 고종은 을사늑약이 무효임을 국제 사회에 알리고자 노력했으나 성과를 거두지 못했습니다.

4 안중근은 이토 히로부미를 동양의 평화를 해치는 원흉으로 지목해 처단했습니다.

5 종교계 인사들을 중심으로 한 민족 대표들은 독립 선언서를 작성했고, 1919년 3월 1일 민족 대표들의 독립 선언식 이후 전국적인 만세 시위가 일어났습니다.

6 대한민국 임시 정부는 일제의 감시와 탄압에서 벗어나 중국의 도움을 받기 쉬운 곳으로 가기 위해 계속 위치를 옮겼습니다.

7 독립군은 승리와 독립에 대한 열망으로 일본군을 이길 수 있었습니다.

8 신채호는 대한 제국 시기와 일제 강점기에 활동한 독립운동가이자 역사가, 언론인입니다.

9 대한민국의 정부 수립은 ㉠ → ㉡ → ㉢ → ㉣의 순서로 전개되었습니다.

10 중국군의 개입으로 국군과 국제 연합군이 한강 이남으로 다시 후퇴했습니다.

169쪽 생활 속 사회 융합

1
다음주까지 이름을 일본식으로 고쳐오도록!
꿈에 그리던 고국에 돌아오니 기뻐요.
가나다
우리말로 수업을 들으니 정말 좋아!
광복이 되었으니 새로운 나라를 만들어 봅시다.

풀이

❶ 광복이 되면서 교실에 일본과 관련된 것이 사라졌습니다.

170~171쪽 사고 쑥쑥 창의

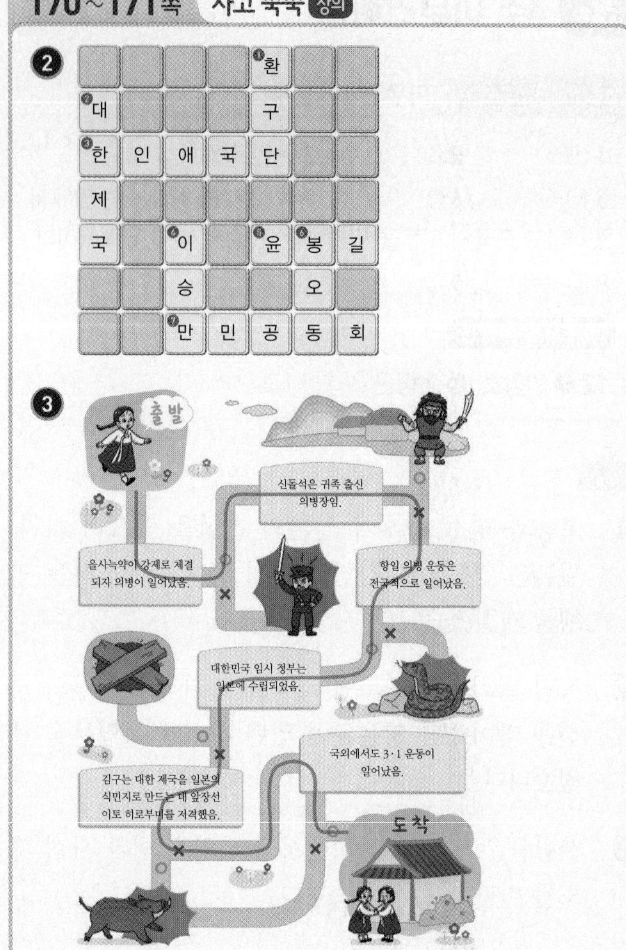

2
❶환
❷대 구
❸한 인 애 국 단
제
국 ❹이 ❺윤 ❻봉 길
승 오
❼만 민 공 동 회
3
출발
신돌석은 귀족 출신 의병장임.
을사늑약이 강제로 체결되자 의병이 일어났음.
항일 의병 운동은 전국적으로 일어났음.
대한민국 임시 정부는 일본에 수립되었음.
국외에서도 3·1 운동이 일어났음.
김구는 대한 제국을 일본의 식민지로 만드는 데 앞장선 이토 히로부미를 저격했음.
도착

풀이

❷ 우리나라는 자주독립을 위해 다양한 노력을 했습니다.

❸ 신돌석은 평민 출신 의병장이고, 대한민국 임시 정부는 중국 상하이에 수립되었습니다. 안중근은 이토 히로부미를 하얼빈역에서 저격했습니다.

172~173쪽 논리 탄탄 코딩

❹ 도기　　　❺ ㉡

풀이

❹ 8·15 광복은 1945년, 대한 제국 선포는 1897년, 6·25 전쟁은 1950년에 일어났습니다. 따라서 도기는 10점, 듬이가 5점, 토리가 3점을 얻게 됩니다.

❺ 제헌 국회 의원들은 이승만을 초대 대통령으로 선출했습니다.

정답은
이안에
있어!

배움으로 행복한 내일을 꿈꾸는

천재교육 커뮤니티 안내

교재 안내부터 구매까지 한 번에!

천재교육 홈페이지

천재교육 홈페이지에서는 자사가 발행하는 참고서,
교과서에 대한 소개는 물론 도서 구매도 할 수 있습니다.
회원에게 지급되는 별을 모아 다양한 상품 응모에도
도전해 보세요.

구독, 좋아요는 필수! 핵유용 정보 가득한

천재교육 유튜브 <천재TV>

신간에 대한 자세한 정보가 궁금하세요?
참고서를 어떻게 활용해야 할지 고민인가요?
공부 외 다양한 고민을 해결해 줄 채널이 필요한가요?
학생들에게 꼭 필요한 콘텐츠로 가득한 천재TV로 놀러 오세요!

다양한 교육 꿀팁에 깜짝 이벤트는 덤!

천재교육 인스타그램

천재교육의 새롭고 중요한 소식을 가장 먼저 접하고 싶다면?
천재교육 인스타그램 팔로우가 필수!
누구보다 빠르고 재미있게 천재교육의 소식을 전달합니다.
깜짝 이벤트도 수시로 진행되니 놓치지 마세요!